考える

内田樹

毎日文庫

生きづらさについて考える◉目次

第1章　矛盾に目をつぶる日本人

第2章　気が滅入る行政

第３章　ウチダ式教育再生論

第4章　平成から令和へ生き延びる私たちへ

第5章　人生100年時代を生きる

第1章

矛盾に目をつぶる日本人

私たちは歴史から何も学ばない

繰り返す破局

戦争が終わって５年後に生まれたので、戦後70年のうち65年を生きてきた勘定になる〔２０１５年〕。子どものころは歴史の流れというようなものは感じなかった。社会というのは昔からずっと、「こんなもの」であり、これからもずっと「こんなもの」であり続けるだろうと無根拠に信じていた。それ以外の世界を知らないんだからしかたがない。

でも、30年、50年、60年と馬齢を重ねるにつれて、社会というのはずいぶんころころと変わるものだということを学んだ。実に驚くほどよく変わる。昨日まで「右」と言っていた人たちが一斉に「左」だと言い出す。よくそんなに器用に切り替えられるものだと感心するが、それは言い換えると「世の中がどれほど激しく変化しても、それから何も学ばない」風儀というのは、ぜんぜん変化しなかったということである。どれほど世の中が変わっても、変化したことに気づかない人間、だから変化の原因についても考えない人間、そういう人たちが実は世間の過半を占めているということに気がついたのは、恥ずかしながら齢（よわい）知命を超えてからあとのことである。

カール・マルクスは『ルイ・ボナパルトのブリュメール一八日』の冒頭にこのような言葉を記した。

「世界史的な大事件と大人物はすべて、いわば二度現われる（中略）一度目は偉大な悲劇として、二度目はみすぼらしい笑劇として」（横張誠訳『マルクス・コレクション３』筑摩書房、２００５年、３頁）

長く生きてきてわかったことは、同じような破局的状況は実は三度も四度も繰り返すということであった。二度目三度目までは「笑劇」で済ませられても、四度、五度と続くと、さすがに笑いも凍り付く。この強迫的な反復は、むしろ人間に刻印された痛ましい宿命を語っているのではないかと今では思う。

私たちは歴史からほとんど何も学ばない。同じ愚行を、そのつど「新しいこと」をしているつもりで際限もなく繰り返す。それが私が歴史から学んだ最も貴重な教訓の一つである。冷笑的過ぎるだろうか。だが、マルクスも実はそう続けて書いていたのである。

「生きている者たちは、ちょうど、自分自身と事態を変革し、いまだになかったものを創り出すことに専念しているように見える時に、まさにそのような革命的な危機の時期に、不安げに過去の亡霊たちを呼び出して助けを求め、その名前や闘いのスローガンや衣裳を借用し、そうした由緒ある扮装、そうした借りものの言葉で新しい世界史の場面を演じるのである」（同書、4頁）

同じふるまいを私たちは過去を回想するときにも行う。つまり、「ほんとうに革命的な危機の時期」のことをたっぷり手垢のついた、出来合いの、借りものの言葉で記述するのである。たまに地獄の釜の蓋が開くときがある。私はそのような思いを二度経験した。1960年前後と1967年前後である。地獄の釜の蓋が開いたとき、私は硫黄の匂いを嗅いで、業火で眉毛を焦がした。でも、そのことをもうみんな忘れている。「え？　そのときって、何があったんだっけ？」と平気で訊いてくる。

忘れるからこそ「次の戦争」も起きる

1960年前後は核戦争と世界消滅の不安が世界を覆い尽くしていた。1962年のキューバ危機のとき、米ソは第3次世界大戦の一歩手前まで行った。だから、その時代に書かれたSF小説やSF映画はその多くが「核戦争で人類が滅びた世界」を素材にしていた。

S・キューブリックの「博士の異常な愛情」やS・クレイマーの「渚にて」は、ほとんどドキュメンタリーのような冷酷さで世界が滅びるプロセスを活写している。そもそもSFというジャンルそれ自体が、既成の文学ジャンルでは「人類が発明したテクノロジーで人類が滅びる」というスケールの物語を収めきれなかったので、その時期に「発明」されたのである。

日本の子どもたちの頭上に降り注ぐ雨水の中には、頻繁に太平洋で繰り返される原水爆実験の「死の灰」が含まれていた。でも、誰も「線量を測れ」というようなことは言わなかった。だって、たぶん地球上の人間はみんなそのうち核戦争で死ぬんだから、じたばたしてもしかたがない、無意識のうちにそう思っていたからである。その自暴自棄気分を培地にして、1960年前後のクレージーキャッツの「スーダラ節」に象徴されるアナーキーでワイルドなサブカルチャーは生まれたのである。出自の事情を忘れては困る。

1967年前後の地球規模の地殻変動のことも、もうたいていの人は忘れている。中国では文化大革命が起きていた。死者1000万人とも言われる内戦が隣国で10年続いていたのである。アメリカはベトナム戦争の泥沼にはまりこみ、同国内ではブラックパンサーが武装蜂起を呼びかけていた。パリでは五月革命がド・ゴール体制を揺がしており、ドイツではバーダー・マインホフ・グループが、イタリアでは「赤い旅団」がテロ活動をしていた。日本では全共闘運動が全国の大学に広がり、若者たちのベトナム反戦と反帝国主義の闘いに戦中派の一部が共感を示していた。世界中が明日はどうなるかわからない状況だった。そして、核戦争前夜と同じように、明日はどうなるかわからない時には「失うべきもの」を持たない若者たちがやたらに元気がいいのも世界共通だった。そして、社会が秩序を回復し、いくばくかの「失うべきもの」を手に入れると、若者たちがいきなり現状維持に転向してしまったのも、これも世界共通だった。

「中国政府のガバナンスに問題がある」という話を先日誰かに言われて思わず失笑した。いつと比較してそう言っているのか。まさか文化大革命の時と比べているわけじゃないだろうね。どれほどの「危機」を経験しても、人間はころりとそれを忘れてしまって、前からずっと世界は「こんなふう」だったと思い始める。そういうものである。

戦後70年、私たちは同じ劇の何度目かの「再演」の時を迎えている。安倍政権が進めようとしている「次の戦争」の開戦の時である。これは日本人のほぼ全員にとっては、一度も経験したことのない歴史的経験でもある。集団の経験としては見慣れたものであるが、個人の経験としてははじめて出会うものである。私の個人的記憶が教えるのは、そういう「地獄の釜の蓋が開く」時にも、多くの人はそれに気づかずになげやりな日常を送っているということである。そして、蓋が閉じた後にも、自分が何を経験したのか覚えてさえいない。

小津安二郎の写真から

小津安二郎は映画の中に一度も軍服を映し込んだことがないと誰かに教えてもらったことがある。戦前戦中の映画すべてを網羅したわけではないが、たしかに記憶する限りでは、軍服を着た登場人物が台詞(せりふ)を言う場面を見た覚えがない。

小津自身は2度兵役についている。23歳（1927年）のときと、33歳から35歳まで（1937年から1939年まで）の2年は下士官として中国戦線にいて、軍曹で除隊した。1943年から敗戦までは軍報道部の映画班の一員としてシンガポールにいた。足すと青年期から5年以上の歳月を軍隊とその周囲で過ごしたわけである。だから、軍隊とはどういうところで兵隊とはどういうものかを小津は熟知していたはずである。だが、映画にはついに兵隊を登場させなかった。

ただ、戦後の小津映画では戦争への迂回(うかい)的な言及が繰り返し行われている。たとえば、「早春」（1956年）の戦友会の場面。「犬のスキヤキ」を食った話と、戦死した臆病な仲間の話で盛り上がった後、その細君が再婚して幸福に暮らしているという話を聞いて、一同は沈み込んでしまう。そして、坂本（加東大介）が「あいつも浮かばれねえよなァ。俺たち、死なねぇで帰って来てよかったよなァ」とつぶやく。

「彼岸花」（1958年）には、芦ノ湖の湖畔で、妻（田中絹代）が空襲の時、防空壕で一家4人がひしと抱き合っていた日々を回想して、「戦争は厭だったけれど、時々あの時のことがふッと懐かしくなることあるの」と言うと、平山（佐分利信）は「俺はあの時分が一番厭だった。物はないし、つまらん奴が威張ってるし」と吐き捨てるように応じる場面がある。

「秋刀魚の味」（1962年）では駆逐艦の艦長だった平山（笠智衆）が、かつての部下であった坂本（加東大介）と語り合う。坂本が酔余の勢いで、「けど艦長、これがもし日本が勝ってたら、どうなってますかね？」と、日本軍がニューヨークを占領するという夢物語を語り出す。平山はそれを静かに制して「けど、敗けてよかったじゃないか」とつぶやく。意外な答えに一瞬戸惑った後、坂本も「そうですかね。――うーむ、そうかも知れねえな、バカな野郎が威張らなくなっただけでもね」と同意する。

いずれも「戦争の時は、それなりに楽しいこともあった」という述懐に「戦争は二度とごめんだ」という言葉がかぶせられて対話は終わる。平山と坂本という役名も小津映画ではほぼ同じ登場人物について繰り返し使われる。だから、この定型的な対話に小津安二郎があるこだわりを持っていることが知れる。

このやりとりのうち、私たち戦後世代にうまく理解できないのは「戦争の時は、それなりに楽しいこともあった」というタイプの言明である。それは「犬のスキヤキ」を食べたり、防空壕で息をひそめたりする経験についてさえ言われる。おそらく戦争を現実に経験した人は、戦争のうちにある種の「人間的なもの」があり、心温まる思い出として回想できるような出来事もあったと思うことがあるのだろう。実際にそう思ったのかも知れないし、記憶を改竄（かいざん）でもしなければ辛（つら）すぎて耐えられなかったのかも知れない。そのあたりのことは分からない。

ここに掲載された八葉の中国戦線の写真にキャプションをつけるとしたら、「忙中閑あり。戦場にも人間的な側面はあった。兵隊たちは兵隊であると同時に喜怒哀楽の情を具（そな）えた生身の人間でもあった」というような言葉がおそらくふさわしいのだろう。伝記的事実から推して、小津自身は戦場にあっても笑顔を絶やさない優しい人であったろうし、苦役からもわずかな愉しみを引き出す才能に恵まれていたと思う。でも、戦後の小津は自分のそういう優しさや楽観主義が結果的には「つまらん奴」や「バカな野郎」が国を誤ることを許したのかも知れないと考えるようになった。だから、戦後の映画の中では、戦争についての宥和的なコメントには、つねにそれを否定する台詞をかぶせた。

　この中国戦線の写真を戦後なんらかの媒体が再掲を求めた時に小津は掲載を許しただろうか。許さなかっただろうと私は思う。

編集部注：写真は編集上の都合により割愛した。

「黒船」を歓迎する感性

中国で出ている「知日」という日本についての専門誌がある。中国人による、中国人のための、日本を知る雑誌で、なかなかよく売れているらしい。「明治維新特集」ということで、私のところにも次のようなアンケートが来た。おそらく、今の日本人にも思い当たる節があると思うので、改めて回答を紹介したい。

――黒船来航は明治維新の始まりと見られています。どうしてアメリカは黒船４隻だけで、鎖国２００年以上の日本の国門を簡単に開けたのか。中国人は国門を開かされたアヘン戦争に対し屈辱を感じていますが、日本は黒船来航に積極的な感情を持つ方が多いと感じています。それについての記念活動も多い。なぜでしょうか。

最初にお断りしておきますけれど、私は近代史の専門家ではありませんし、明治維新に特に詳しいわけでもありません。私がこれから答えるのは、あくまで非専門家の個人的な見解であって、学界の常識でも、日本人の多数の意見でもないことをご承知おきください。

アメリカの黒船4隻「だけ」と質問にはありますけれど、まさに4隻の蒸気船だけでペリー提督たちは彼我の軍事力と科学技術の圧倒的な差を見せつけました。このとき沿岸防衛に召集された武士たちの中には戦国時代の甲冑(かっちゅう)や槍で武装したものもいたくらいですから。アヘン戦争の情報はすでに日本に伝わっていましたので、アメリカの開国要求を丸のみする以外に選択肢はないということについては、幕府内では覚悟はできていたと思います。

清朝の中国と徳川幕府の日本、いずれも公式には海禁、鎖国政策を採用して、一般の人々が海外の情報に接触することは禁じられていましたけれど、実際にはかなり大量に海外の書物が流入しておりました。ですから、この時点で日本の近代化が致命的に遅れていることについてはすでに指導層と知識層には知られていたはずです。

幕閣(ばっかく)たちに決断力がなく、無能であることについては幕府内外においてすでに不満が募っておりましたから、ここで将軍や幕閣を押したてて、国民一丸となってアメリカと一戦交えるというような気分は醸成されようがなかったのではないかと思います。

また当時の日本は原則として自給自足している300の国（藩）に分かれており、藩を超えた政治単位としての「国民国家日本」というような概念はまだリアリティを持っておりませんでした。

日本人が黒船来航をそれほど屈辱的に感じなかったように見えるのは、外交が徳川幕府の専管事項であって、それ以外の300諸侯やその家臣団には、さしあたり「自分の問題」だとは思われていなかったということがあったからだと思います。

むしろ、黒船来航で彼我の科学技術の差が可視化されたことを好機として、いくつかの藩では近代化をめざす派閥が勢力を増し、技術開発や兵制の刷新に向かいました。彼らは黒船来航を日本の近代化の契機として肯定的に捉えたはずです。

けれども、黒船来航を肯定的に捉える最大の理由は現代日本人の対米意識だと思います。

日本は「黒船」によって文明開化に向かい、「GHQの日本占領」によって民主化に向かった。アメリカによる二度の「外圧」が日本にもたらしたものは総じて「善きもの」であったというのは、対米従属体制で生きることになった戦後日本人にとっては受け入れざるを得ない「総括」でした。

隣国中国から見て、「どうして砲艦外交を肯定的に評価するのか？」と疑問に思われるのは当然ですけれど、それは現代日本人の「対米意識」が歴史の評価に投影されているからだというのが私の解釈です。

——１８５４年に江戸幕府がアメリカに締結させられた日米和親条約は、関税自主権と領事裁判権がなく、「不平等条約」と呼ばれています。その後、日本はイギリス・フランス・オランダ・ロシアとも同等の条約を結びました。日本はどのような努力をして、関税自主権と領事裁判権を取り戻したのでしょうか。

編集部注：不平等条約と言われるのは１８５８年に締結された「日米修好通商条約」。同年、ほぼ同じ内容の条約をオランダ、ロシア、イギリス、フランスとも結び、「安政５カ国条約」と総称される。

不平等条約が締結されたのは、開国時点では、日本が貿易についての国際ルールを理解しておらず、西欧的な意味での法による統治が行われていなかったからです。日本の後進性を徳川幕府自身が認めていたのです。

不平等条約はそれ以後、貿易や外交で日本にさまざまな不利益をもたらしたわけですけれど、具体的な不利益以上に「日本は後進国である」ということを日本人が自ら認めたことがトラウマ的経験となりました。

ですから、日本の場合、不平等条約改定の運動は「欧米列強に押し付けられたアンフェアな条約を平等な条約に改定したい」という公平性の要求というよりはむしろ「欧米列強から先進国として認定されたい」という承認願望に駆動されたものでした。

明治政府は朝鮮や中国を相手には、自分たちが欧米に押し付けられたのと同じ不平等条約を押し付けました(日朝修好条規、下関条約)。不平等条約そのものが「アンフェア」であると考えていたら、そのような条約を中国や朝鮮に押し付けるわけがありません。中国・朝鮮を相手に締結した不平等条約は、それによって日本の国益を増大するという実利以上に、欧米列強に対して「日本は後進国に対しては不平等条約を強要することができるような近代的帝国主義国家になった」という自らの「近代性」をアピールするためのものだったと思います。

それゆえ、明治政府による不平等条約の改定のための努力は、相手国を説得するとか、国際世論に訴えるとかいうことではなく、シンプルに「日本を近代的な帝国主義国家にする」という方向に集中されることになりました。

日本が不平等条約の改定に成功したのは1902年に日英同盟を締結したことが大きく与(あずか)っています。同盟を結んだということは、英国から「イーブンパートナーとして承認された」ということですから、これは日本の悲願が達成されたということです。

その日英同盟締結の直接のきっかけは義和団事件（1900年）でした。義和団蜂起に際して、欧米諸国の外交官たちや中国人キリスト教徒が北京に籠城しました。英米独露など8カ国軍の事実上の指揮官は英国公使クロード・マクドナルドでしたが、柴五郎中佐が率いた陸戦隊が兵の練度、士気、統制においては8カ国軍の中で際立っていました。マクドナルドはこれを高く評価し、柴はこの功績でヴィクトリア女王より勲章を受けました。この事件がきっかけとなって英国はそれまでの「名誉ある孤立」戦略を変更して、東アジアにおける盟邦として日本を選択することになったのです。

論理的な説得や忍耐強い外交努力よりも要するに「戦争に強いかどうか」で国際社

会はその国を認知する。日本人は義和団事件と日英同盟の歴史的経験からそのような教訓を引き出しました。この「成功体験」によって、日本人は外交に成功しようと思ったら、まず軍事的成功を、と考えるようになりました。国際社会において重きをなしたいと思ったら、指南力のあるメッセージを発信し、あるいは広々としたヴィジョンを提示することより、端的に軍事的に強いことが最優先するのだと日本人は信じた。この信憑（しんぴょう）はその後の日本外交に暗い影を落とすことになりました。

――幕末から明治まで、日本の外交面に大きな変化がありますか。外国に対する態度、外交戦略など。中国・朝鮮・東南アジアと、ロシアと、欧米列強を分けていますか。

ここまで述べた通り、幕末の日本には「外交戦略」と呼べるようなものはありませんでした。それらしきものができるのは明治以降であり、それは「近代的帝国主義化」という一言に尽くされます。具体的には富国強兵、殖産興業です。欧米列強に伍すことのできる「近代的帝国主義国家」建設にすべての国民的リソースを集中する。この国策に反対するものは国内にはほとんどいませんでした。

ただし、近代化には法治主義の徹底、学制の整備、海外の学術や芸術の受け入れといった要素も含まれています。優先順位は軍事・科学技術にははるかに遅れますが、それでも明治の日本人がわずかな期間のうちにあらゆる領域で近代国家らしき外見を整えることに成功したことは事実です。

欧米列強に対する外交戦略と、アジア諸国に対する外交戦略は違うかというご質問ですけれど、本質的には違いはないと思います。違うとしたら、欧米列強に対しては「日本はあなたがたと同じ近代的な帝国主義国家である」という「同質性」をアピールし、アジア諸国に対しては「日本はあなたがたとは違う近代的な帝国主義国家である」という「異質性」をアピールしたということでしょう。福沢諭吉の『脱亜論』はその好個の例です。

——安政の大獄に対する意見をお聞かせください。なぜ数多くの維新志士を育てた吉田松陰を処刑したのでしょうか。

安政の大獄は幕末の徳川幕府の機能不全を象徴する事件だと思います。

国難的事態に遭遇したときには、「どのようにして国論を統一するか」が緊急の課題ですけれど、井伊直弼はそれを「反対派を殲滅する」恐怖政治として実行しようとしました。「衆知を集めて議論して、国論の統一をはかる」という選択肢も理論的にはありえたはずですが、それができなかった。幕府内部で、問題点を明らかにし、基本的な情報を共有し、取りうるさまざまな選択肢を吟味し、その中で最も利益が多く、損害の少なそうな解を選び取るという合理的な政策決定プロセスが機能していなかったからです。

もちろん、それが幕府の後進性ということの実相であるわけですけれども、「急いでことを決めない」ということが久しく日本社会では合理的な意思決定プロセスとみなされていたということでもあります。

たしかに、議論をだらだら引き延ばして、何も決めないでいるうちに、想定外のことが起きて、「こうなったら、もうこれしかない」という解に全会一致で雪崩れ込んでゆく……というのが、一番「角の立たない」合意形成ではあるわけです。それでうまくゆくこともあります。けれども、この意思決定プロセスの弱点は限られた時間内には意思決定をすることができないということです。手をつかねて合意形成の機が熟すのを待つというやり方は黒船来航とか、外交条約締結とかいう「待ったなし」という局面には対応できない。現に、そういう局面に遭遇したときも、幕閣たちはその伝統的な「だらだら引き延ばす」戦術を採用したのですが、欧米にはその手が通じなかった。

「だらだらしているうちに、落ち着くところに落ち着く」という意思決定ができない場合は「合意形成を待たず、誰かに全権を一任して、失敗した場合には責任を取らせる」というのが日本における意思決定の「プランB」です。

安政の大獄は、この局面を打開するうまい方法を誰も思いつかなかったので、井伊直弼という一人の幕臣に独裁的な権限を丸投げして、失敗した場合（たぶん失敗するだろうとみんな予測していたと思います）には腹を切って責任を取らせるという「プランB」を採用したのだと思います。

井伊直弼が吉田松陰ほかの有為の人士を組織的に殺害したのは、別に彼らの個別的な思想信条を問題にしたというよりは、単に独裁制の強権性・非寛容性をアピールするためだったと思います。井伊直弼自身は吉田松陰がどんな人物なのかよく知らなかったのではないでしょうか。

――坂本龍馬という人物について意見をお聞かせください。彼は明治維新でどのような貢献をしましたか。

坂本龍馬は幕末の人士のうちで最も人気のある人です。

作家司馬遼太郎が『竜馬がゆく』（全8巻／文春文庫）という小説を通じて、きわめて魅力的な人物を造型したことがその原因の一つです。名前の表記からわかるように、司馬が造型した「坂本竜馬」は現実の「坂本龍馬」とは別人ですが、読者はそうは解しませんでした。

坂崎紫瀾（さかざきしらん）の『汗血千里の駒　坂本龍馬君之伝』（岩波文庫）を除くと、龍馬についての情報はそれほど多くはありません。それでも、薩長同盟を成し遂げたこと、海援隊という日本最初の商社＝海軍を創立したことは歴史的事実ですし、勝海舟の『氷川清話（ひかわせいわ）』（角川ソフィア文庫ほか）や幸徳秋水（こうとくしゅうすい）の『兆民先生』（岩波文庫ほか）などから断片的に知れる限りでも、闊達（かったつ）で海洋的な気風の人物だったと思われます。

龍馬の献策とされる「船中八策（せんちゅうはっさく）」には、上下院による議会政治・有能な人材の登用・不平等条約の改定・憲法の制定・常備軍の設置など、当時としては画期的に近代的・

共和的な政体構想が描かれておりました。ですから、龍馬が生き延びて、明治政府に影響力を持ちうる立場にいた場合には、それから後の日本の近代化はずいぶん変わったもの（もっとずっと民主的で開放的なシステム）になっただろうと想像する日本人は私の他にもたくさんいるはずです。

――岩倉使節団の各国歴訪は明治維新の政策提出にどんな影響を与えましたか。

岩倉使節団の歴史的意義は私にはわかりませんが、そのメンバー表を見ると驚くことが二つあります。

一つは、明治維新という政治革命が終わった直後（わずか4年後）に、岩倉具視、木戸孝允、大久保利通、伊藤博文らの政府中枢部がごっそり抜けて2年間の外遊に出かけたことです。よくこんな大胆な決断が下せたと思います。留守中に国内で何か起きても、通信手段もないし、戻るための交通手段だって整っていないわけですから。「政府中枢部が2年間留守をしても政体は安定する」という保証を誰がどういうかたちで行ったのか、むしろそれに興味があります。現に、彼らが戻った翌年（１８７４

年）に佐賀の乱、3年後（1876年）には萩の乱、神風連の乱が起き、4年後（1877年）には西南戦争が勃発しているわけです。あるいは、「岩倉使節団が戻って来て、これから先の日本の統治システムについて答申を行うまで、国内の対立はペンディング」という暗黙の合意が（のちに反乱を企てる不平士族を含めて）国内的にはなされていたのでしょうか。私の方が専門家に質問したいくらいです。

もう一つの驚きは、帯同した留学生・随員の名簿のうちに、中江兆民、金子堅太郎、團琢磨、牧野伸顕、津田梅子、山川捨松（のちに大山姓となる）、新島襄ら、その後の日本のさまざまな分野でリーダーとなる若者たちが含まれていたことです。新島襄が28歳、中江兆民が23歳、團琢磨が13歳、津田梅子に至っては6歳。短期間に人選を行って、まだ海のものとも山のものともつかぬ人たちの中からこれだけ優秀な人材を集め得たということは、明治の人々に「人を見る目があった」という以外に説明のしようがありません。いや、たいしたものです。

――明治維新には暗の一面（封建主義の名残、先進ではない文化要素〈男尊女卑など〉、軍国主義の道への伏線など）はありますか。

明治維新の評価についてはここまでに述べた通りです。プラスの面もあるし、マイナスの面もある。それはあらゆる政治的事件の場合と同じです。ただ、さきほどから言っているように、歴史的事件の評価は、最終的には、それについて語られた無数の物語の集積によって決まると私は思っています。豊かな物語、深みのある物語を生み出した歴史的事件は長く記憶され、人々はそこから歴史的教訓を引き出し、その事件を基準にして現在の出来事の適否を判断したりする。それは「生きた歴史的事件」となります。逆に、どれほどその時点では大きな社会的変動をもたらした事件でも、それについて語り継ぐ人がおらず、そこにかかわった人々の名をあるいは懐かしげに、あるいは敬意をこめて口にするということがなく、その出来事を「ことのよしあし」の判断基準にするという習慣が定着しなかったとしたら、それは「死んだ歴史的事件」だということになる。

明治維新についての物語はいまも語り続けられています。それはそれが「ほんとうはどういう出来事だったのか」について、まだ日本人の中でも、世界史の中でも、意味が確定していないということもあります（だからこそ、「知日」がこういう特集を組んだりもするのでしょう）。でも、それだけでなく、明治維新が日本人にとっては「まだ生きている政治的事件」だからだと私は思います。

――歴史から見れば、新選組は幕府を保護する旧勢力で、非進歩な逆流ですが、なぜ彼らは日本人に愛されているのでしょうか。文化的な原因はありますか。

新選組の人気もフィクションによるところが多いと思います。

私が子どもの頃は大佛次郎の『鞍馬天狗』シリーズが次々と映画化されて大人気でしたが、主人公は勤王の志士鞍馬天狗（演じたのは嵐寛寿郎）で、新選組は敵役でしたので、決して「日本人に愛されている」ということはありませんでした。

新選組への好悪の評価が逆転したのは、これもフィクションの力が大きいと思います。子母澤寛の『新選組物語』（中公文庫ほか／１９３２年）や司馬遼太郎の『燃えよ剣』（ポケット文春ほか／１９６４年）は新選組の人々を単なる記号的な悪役ではなく、一人一人の相貌をリアルに描き出しました。その後、これらを原作にして無数の映画やテレビドラマが制作されました。

新選組人気を決定づけたのは１９７０年に放映され、土方歳三を栗塚旭が、沖田総司を島田順司が演じたテレビドラマ「燃えよ剣」でした。役を演じた俳優と歴史上の人物の境があいまいになったという点では、このドラマが画期的だったと思います。

坂本龍馬の場合も、あるいは西郷隆盛や大久保利通や木戸孝允のような維新の元勲たちにしても、それぞれの歴史的評価は、学術的に確定された歴史的な史料以上に、「彼らについてどのような物語が創作されたか」に依存します。後世にすぐれた物語の書き手を得た歴史的人物は末長く記憶される。これは世界どこでも、もちろん中国でも変わらないと思います。

子母澤寛の祖父はもと御家人で、箱館戦争で旧新選組隊士たちと共に官軍と戦った人でした。子母澤は子どもの頃にその祖父から新選組の人々の思い出話を聞かされて育ち、明治維新以来「朝敵」とされ、憎まれてきた新選組の「名誉回復」をめざして作家活動を始めた人ですから、その個人的な「復讐」はみごとに果たされたわけです。

知性を憎む知識人

２０１５年に『日本の反知性主義』（晶文社）という編著を出したときに、タイトルだけ見て激しい拒絶反応を起こした人が少なからずいて驚いた。「あなたは『反知性主義』という語をどういう意味で用いているのか。まずキーワードを一意的に定義してから話を始めろ」と切り立てられて、閉口した。

「定義についていまだ合意のない語」について思量することは決して悪いことではない。むしろ、それは知性を活性化するきわめて効果的な方法だと私は思っている。それは「問題の解」ではなく、「問題のありか」を探り当てるためのツールだからである。

というのは私の創見ではない。一意的な定義にまだ至っていない概念をめぐって思量することの有用性について述べたのは『プロテスタンティズムの倫理と資本主義の精神』のマックス・ウェーバーである。ウェーバーは「資本主義の精神」という語が定義できないことをまず認めて、まさにその語が定義できないという事実から、その語についての考察を始めた。

「この論文の標題には『資本主義の精神』という意味深げな概念が使用されている。この概念はいったいどういう意味に理解すべきなのであろうか。これについて『定義』というべきものをあたえようと試みる場合、われわれはただちに、研究目標の本質に根ざす或る種の困難に直面することとなる」（『世界の名著50』より「プロテスタンティズムの倫理と資本主義の精神」マックス・ウェーバー著、梶山力ほか訳、中央公論社、1975年、111頁、強調はウェーバー）

「その確定的な概念的把握はそれゆえ研究に先立って存在しうるものなどではなく、むしろ研究の結末において得らるべきものなのである。いいかえるなら、ここで資本主義の『精神』とよばれているものの最良の（中略）定式化は、究明の過程のうちではじめて、しかもその主要な成果として提示することができるのである」（同書、112頁、強調はウェーバー）

この知的節度のうちに私は知性の確かさを見る。ウェーバーのひそみに倣って、私は現代の反知性主義について「例示」を行おうと思う。それが反知性主義についてのより包括的な理説に「一例」として採録されることが私の願いである。

これまで反知性主義についての最も明解で、説得力のある「例示」をもたらしたのはリチャード・ホーフスタッターの『アメリカの反知性主義』である。ホーフスタッターは反知性主義を単純な「知識人と愚者の戦い」に矮小化してはならないということについて強く警告を発した。

「反知性主義は、思想に対して無条件の敵意をいだく人びとによって創作されたものではない。まったく逆である。教育ある者にとって、もっとも有効な敵は中途半端な教育を受けた者であるのと同様に、指折りの反知性主義者は通常、思想に深くかかわっている人びとであり、それもしばしば、陳腐な思想や認知されない思想にとり憑かれている。反知性主義に陥る危険のない知識人はほとんどいない。一方、ひたむきな知的情熱に欠ける反知識人もほとんどいない」(『アメリカの反知性主義』リチャード・ホーフスタッター著、田村哲夫訳、みすず書房、2003年、19頁)

反知性主義者は「概して無学でもなければ無教養でもない。むしろ知識人のはしくれ、自称知識人、仲間から除名された知識人、認められない知識人などである」(同書、19頁)

わずかな言葉でホーフスタッターは反知性主義者の属性について鋭い直観的知見を語った。反知性主義者は「認められない知識人」「陽の当たらない知識人」であるとホーフスタッターは言う。それは彼らが実際に何ものであるかということよりも、彼らが自分はこの社会でどう評価され、どう格付けされているかを過剰に気にかける人たちだということである。

たしかに、学歴や知識量やメディアにおけるポピュラリティを豊かに享受しながら反知性主義者である人はたくさんいる。彼らは傍(はた)から見ると高い社会的評価を得ているようだが、主観的には十分に評価されておらず、陽が当たっていないと感じている。

そして、この不当に低い格付けが知性の名においてなされていると感じている。それが彼らを反知性主義に向かわせている。

しかし、この世には「知性」の名において他人を格付けするような機関は存在しない。アカデミー・フランセーズとかノーベル賞の選考委員会とか紫綬褒章の選考委員会とかはたしかにある種の知的達成について格付けを行っているけれども、ふつうの人はそのような機関からの評価を四六時中気に病んでいたり、そのような機関に向かって「ひとの知性を格付けするな」と憤ったりはしない。だとすると、反知性主義者が自分たちを不当に低く査定していると思って、不信と憎悪のまなざしを向けている標的である「知性主義」とはいったい何のことなのだろう。

日本の場合、反知性主義者たちが主な攻撃の対象としているのはとりあえず大学である。

ただ勘違いして欲しくないのだが、大学が標的にされるのは、そこが「知性のありか」だからではない。たしかに大学は「知性的であること」に高い値札がつく場所ではあるけれど、そのことは別に大学人たちがそろって知性的であることを意味するわけではない。そもそも、反知性主義者たちは他人が知性的であるかどうかというようなことについてはもともと何の関心もない。にもかかわらず彼らが大学に関心を持つのは、誰かが彼らを「知性的」でないと査定しているような気がするからである。問題は「知性」ではなく「格付け」なのである。

彼らが大学を憎むのは彼らの眼にはそこが「知性の格付け機関」のように見えるからである。大学はひさしく因習的で、惰性的で、市場のニーズや歴史的環境の変化に即応できていないという理由で改革を求められてきた。もっと社会的に有用で効率的な組織に改編すべきであり、その改革は学者ではなく実務家が主導すべきだと主張されてきた。グローバル人材育成教育、教授会自治の否定、国立大学の独立行政法人化、ＰＤＣＡサイクルによる評価活動などの施策は総じて大学が「象牙の塔」であることを許さず、それをふつうの株式会社と同じような組織にすることをめざしたプログラムである。

大学を「ふつうの株式会社のようなもの」にしようとする強い圧力が大学をより有用なものたらしめたいという教化的善意に駆動されていたという説明を私は信じない。「大学の株式会社化」圧力を駆動していたのはまぎれもなく憎悪である。大学人を「象牙の塔」の高みから引きずりおろし、「平場で勝負をつけたい」という怒りに似た感情である。そのような感情が現代日本において実に多くの人々に共有されていることに私は驚愕したのである。

大学への攻撃が表向きは社会政策のようなものとして提示されていながら、内実は非合理的な情緒に類するものであることは「大学の株式会社化」が過去に一度実験され、みじめな失敗に終わったという歴史的事実を多くの人々が忘れたふりをしていることからも窺い知れる。

2000年代の初めに株式会社立大学というものが特区で認可されて、いくつもの大学が「実務家」たちによって創立された。だが、その多くは数年を閲せずして経営破綻した。

考えれば当然なのである。学校を「最低のコストで最大の利益を上げる」という営利企業の感覚で経営した場合、利益が最大化するのは「授業をしないで、授業料を払ったものには欲しい単位や学位を与える」場合だからである。「それでは教育にならないではないか」と私たちは思うが、実際に多くの株式会社立大学は「教育事業にかかるコストを最小化する」という誘惑に抗しきれなかった。それは彼らが学校教育を単位や学位という「商品」を、授業料や学習努力という「貨幣」によって購入するという商取引モデルに基づいて理解していたからである。それなら「何も価値あるものを与えずに、代価だけもらう」という取引が最大の利益率をもたらすことは自明である。

彼らがわかっていなかったのは、学校教育というのは商品の売り買いではないということであった。そこには市場における「商品」に相当するものも、「消費者」に相当するものも存在しない。教育事業の利益は、教育を受けた若者たちがやがて人間的な成熟を遂げて、共同体の次世代を支えるという仕方で未来において償還される。教育事業の受益者は教育を受ける個人ではなく、共同体の未来である。半世紀、一世紀というスパンで展開するその仕組みを、当期利益至上主義のビジネスマンたちには理解できなかった。

ビジネスのロジックに基づく学校教育が失敗したのは人間社会の仕組みをよく理解できない人たちの知性の不調の論理的帰結に過ぎなかった。だが、大学を憎む人たちはそういうふうには理解しなかった。彼らは株式会社立大学の失敗を「知性主義という病」が大学を侵しているせいだと解釈した。大学が商品と貨幣、売り手と買い手の間のシビアーでタフな交渉ビジネスのロジックを受け付けないのは、大学が因習的で閉鎖的であり、現実社会の実相から乖離(かいり)しているせいだという説明を採用したのである。株式会社立大学が失敗したのは大学が株式会社的であることに抵抗したからであり、それは大学の側の非として総括された。

以後、政官財メディアはその総力を挙げて大学を「株式会社化」する戦いに取り組んできた。今に至るまで大学への公費支出の削減、テニュア（終身雇用）から任期制へ、「G大学とL大学」、「実務家を教員に」といったかたちで大学への攻撃は止まることなく続いている。

大学を憎悪の対象としながら、その激しい感情の由来を知らない人たちを「反知性主義者」と呼んでも構わないだろうと私は思う。彼らの眼には大学は「知性」を崇拝する太古的な邪宗の礼拝堂のようなものに見えているのではないか。その暗がりの中で「知性」を崇拝する狂信者たちが集まって、「知性の格付け」を行っている。そして、その格付けで自分たちが不当に低い評価を与えられていることに怒り、この怪しげな「知性の格付け機関」に激しい憎悪を向ける人たち、それが日本における反知性主義者のひとつの「例示」である。「定義」ではなく、あくまで「例示」である。

ここまで読んで相当腹を立てている人がいると思うが、ここから先はさらに不愉快な内容となるはずなので、すでに腹を立てている方はここで読むのをやめた方がよいと思う。

有史以来、人類は、性差や肌の色や信教や階級や貧富など、さまざまな外形的な指標に基づいて他人を格付けし、それに基づいて、権利や自由や財貨や情報を傾斜配分してきた。格付け基準は歴史的・地理的条件によって変わった。何をもって人を格付けするかということは、誰かが政治的に決定できることではない。それは無意識的かつ集団的に行われる。

そして、近年のある時点で「知性の格付けをもって資源分配の基準にしたらどうか」という理説が広く行き渡ることになった。別に誰かが決めたわけではない。なんとなく、そういう流れが出て来たのである。

私がこの原稿を頼まれたときの依頼状は「本物の知とは何か」という問いから始められていた。「机上の知識、智慧でなく、もっと生き生きとしていて瑞々(みずみず)しく、生きる上で真に役に立つ有益な知見としての『知』こそが、私たちには必要で、切に渇望しているのではないか」という依頼の理由が記されていた。

こういう内輪の文書を公開するのは物書きとしてはルール違反なのだが、ここには私たちの時代の知性観の一端が示されていると思われたので、非礼を顧みず引用させて頂くことにした。

ここには「知には真の知と偽りの知がある」という予断がまずあり、私はいわばその「判定者」として召喚されている。ことの当否はどうでもよい。私たちがここから知れるのは、真の知と偽りの知を精密な査定基準にもとづいて差異化することが喫緊の課題であるという焦燥が存在し、かなり広範な共感を得ているということである。

私はこのような欠落感を「知性主義」と呼んだらどうかと思うのである。そうすると、問題の所在がいくぶんか明らかになる。「反知性主義者」たちが怒りをこめて「誤爆」しているのは、知性そのものではなく、「知性主義」という名の格付け制度なのである。

もちろん繰り返し言うように、そんな格付け制度は実際にはどこにも存在しない。存在するのは、そのようなものが「なくては済まされない」という焦慮と欠落感だけである。けれども、いくたりかの人々の焦慮と欠落感だけで、反知性主義者たちがそこに「知性主義」の伽藍（がらん）を幻視するためにはおそらく十分なのである。

だが、なぜいつから知性の価値がこれほど高騰したのだろう。

性差や人種や身分や信教にもとづいて人々が差異化され、カテゴリーごとに資源分配率が決まっていた社会では、知性のようなとらえがたいものが格付けの指標に採用されることはなかった。性差や人種差が差別化指標として頻用されてきたのは「一目見ればわかる」からである。近代以後はひさしく「年収」が格付け指標に活用されたが、それも服装や乗っている車や住んでいる家を見ればわかった。ただ、人間は定期預金の残高を額にはりつけて歩き回るわけにはゆかない。年収を補完するものとして「文化資本」が格付け指標に採用された。

文化資本とはその人の所属階層を表象するもの（言葉づかい、マナー、教養など）のことである。ピエール・ブルデューの『ディスタンクシオン』（１９７９年）はその階層差別の力学を研究した書物だが、Distinctionというタイトルを「格付け」と訳せば、いつ頃から文化資本による格付けが私たちの社会の関心事になったかが窺える。

だが、テーブルマナーも、ワインについての蘊蓄（うんちく）も、美術や音楽についての造詣も、後天的に学習しようと思えば、できる。金で買ったり、学習したり、模倣したり「外付け」することができる。そういうものはやはり格付け指標として厳密さを欠く。そう考える人たちが出て来た。そのとき、性差や人種差に匹敵する模倣不能・学習不能の文化資本である知性が人間を差別化するときの指標になるべきだというアイディアが生まれた（この辺は私の妄想的思弁である。何の実証的根拠もない話なので、読み流して頂きたい）。

もちろん、そのようなアイディアを物質化できる現実的条件は存在しない。けれども、「模倣不能・学習不能の文化資本である知性が差別化指標であるべきだ」というアイディアが誰かの脳裏をよぎっただけで、反知性主義が劇症的に発動するには十分であった。既存の格付け制度の中でハイスコアをマークするためにはどうふるまえば費用対効果がよいのかという計算にそれまで人生の知的努力のほとんどを投じてきた人たちを浮足立たせるには十分であった。

反知性主義者がある時期から大量に登場してきたのは、別に日本人の知性が劣化したからではない。そうではなくて、一人ひとりの所有する知性の質によって人間は格付けされるのではないか、その査定権を自分たちの知らぬ誰かが、その権原の由来も明らかにしないままに独占しているのではないかという不安と恐怖が広がったせいである。それはＡＩが人間の知能を超える「シンギュラリティ」の切迫への漠然とした不安と恐怖とおそらく同根のものである。

先般、ある政治家が自分の政策決定の適切性の根拠を問われて「人工知能である。つまり政策決定者である私である」という不可解な回答をしたことがメディアの話題になった。彼女は「私は人間ではなく人工知能だ」という非論理的な名乗りをしたわけだが、これは「知性の格付け」でハイスコアを得ることが政治的延命にとって死活的に重要なのではないかという「恐怖」がすでに権力者たちのうちに兆していることを教えてくれる。反知性主義はこの「恐怖」が「自分を恐れさせるもの」に対する憎悪として噴出したものである。

ある時代における知性の総量は変わらない。変わるのは、それがどの領域に偏るかだけだというのは村上春樹の至言である。私もこれに同意の一票を投じたい。

人間の知性は時代が変わろうと、土地が変わろうと、実はたいして変わりはしない。全員が知的に卓越することもないし、全員の知性が不調になることもない。どの時代でも、どの集団でも、賢愚の比率は変わらない。変わるのは賢愚の分布だけである。

隣国に学ぶことを忘れた日本

韓国に毎年講演旅行に出かけている。ご存じないと思うけれど、私の著作は教育論を中心に十数冊が韓国語訳されていて、教育関係者に熱心な読者が多い。ここ3年ほどの招聘(しょうへい)元は韓国の教育監である。「教育監」とは見慣れない文字列だと思うが、日本とは教育委員会制度が違っていて、韓国は全国が17の教育区に分割されていて、それぞれの区での教育責任者である教育監は住民投票で選ばれているのである。

数年前［2006年］にこの制度が導入された結果、多くの教育区で教員出身の教育監が誕生した。彼らは自身の教員経験を踏まえて、できるだけ教員たちを管理しないで、その創意工夫を現場に委ねるという開明的な方針を採った。その結果、日本ではまず見ることのできない自由な校風の公立学校が韓国の各地に続々と誕生している。

そういう歴史的文脈の中で、私のような人間が各地の教育監に公式に招聘されて、教員たちを前に講演をするということが起きている。日本には私に講演を依頼する教育委員会が一つもないという現実と比較すると、日韓の教育行政の差異が際立つはずである。

勘違いして欲しくないが、私は自慢話をしているわけではない。「こういうこと」が日本のメディアでは一切報道されないことに当惑しているのである。「こういうこと」というのは韓国において教育の「脱管理」が進み、さまざまな自発的な教育実践が行われているという現実のことである。

おそらく多くの日本人は今も韓国というのは猛烈な受験地獄で、学校は詰め込み教育一辺倒で、教師は生徒たちに日常的に暴力をふるって支配している……というような韓流ドラマ経由のイメージを抱いているのだと思う。メディアもそういう定型をとくに訂正する気はなさそうである。だが、そういう時代はもう終わったのである。

韓国の変化にメディアが異常に鈍感なのは、国民に瀰漫（びまん）している嫌韓感情に配慮して、「隣国で制度改革が成功している」というニュースを自制しているのかも知れないが、たぶん教育のような惰性の強い社会制度がこれほど急激に変わりうるということ自体をうまく理解できないのだろう。

だが、6万人が虐殺された1948年の済州島四・三事件や、170人の死者を出した1980年の光州事件のことを、あるいは反共法の下で多くのリベラル派や自由主義者がまともな裁判も受けずに長期刑で投獄された時代を覚えていたら、2016年11月の朴槿恵(パククネ)大統領の退陣を求める100万人デモが整然と、一人の死者も出さずに実行されたということにもっと驚嘆してよいはずである。韓国は変わった。もう1980年代以前の強権的で抑圧的な社会ではない。もちろん、まだ古いシステムは生き残っているが、それを置き去りにして、社会そのものが急速に変化している。

私の著作は過去10年足らずのうちに十数冊韓国語訳された。それがもし韓国人であれ中国人であれ台湾人であれ、隣国の思想家の書物が10年足らずのうちに十数冊日本語訳されていたら、私たちは「何か変なことが起きている」と思うだろう。宗教的な組織活動かイデオロギー的なプロパガンダ以外に、そんなことは日本では起こり得ないからである。けれども、そういうことが韓国では起きているのである。私は別に例外ではなく、多くの日本人の学者や思想家の書物が次々と韓国語訳されている。

韓国の人たちの隣国から学ぶ姿勢の激しさに私は驚かされる。「それは韓国が知的後進国だからだ」と言って鼻先で笑って済ませる人がいるだろう。あるいはその方が多数派かも知れない。だが、現代日本社会で「隣国から学ぶ」ことの大切さを忘れているという事実そのものが「日本が知的後進国に転落した」ことの証しなのだ。そのことに日本人はいつ気づくのだろう。

僕が家庭科を大事だと思うわけ

わが家は子どもが6歳のときから18歳のときまで父子家庭だった。その間に私は実によく家事をした。父子家庭という大義名分があったので、日々エプロンをして楽しく働いた。でも、そのうち、娘が家を出て、一人暮らしになったら、ぱたりと家事を止めてしまった。手の込んだ料理も作らないし、縫物をすることも間遠になった。能を稽古しているので、紋付の半襟を縫い付けるくらいのことはたまにやるけれど、どうせ自分の着物だと思っているせいで仕事がぞんざいになる。とても娘の体操着に名札を縫い付けたときの集中力には及ばない。

私は家事仕事が好きだし、けっこう得意だけれど、いつでも時間を忘れて熱中できるというわけではない。「誰かに尽くす」とか「誰かを守る」というマインドセットにならないとこういう仕事にはうまく集中できないのかも知れない。自分のためだけだと今ひとつやる気にならない。

友人に父親の介護をしているとき、料理が好きになった男がいる。それまで料理なんかほとんど作ったことがなかったのだけれど、父がなぜか彼の作る料理を「美味しい美味しい」といって食べてくれるのでうれしくなって、料理本を買い、毎日新しい料理に挑戦しているうちに、すっかり料理好きになってしまった。包丁や鍋釜も各種調えた。でも、父親が亡くなったとたんに料理を作る意欲がぱたりとなくなってしまったそうである。自分自身のためには凝った料理を作る気がしないのだと言っていた。その気持ちはよくわかる。

家事というのは、本質的には、他人の身体を配慮する技術なのだと思う。清潔な部屋の、乾いた布団に寝かせ、着心地のよい服を着せて、栄養のある美味しい食事を食べさせる。どれも他者の身体が経験する生理的な快適さを想像的に先取りする能力を要求する。具体的な技術以上に、その想像力が大切なのだと思う。

私はいま武道を教えて生計を立てているが、武道の要諦も「他人の身体の内部で起きていること」へ感覚の触手を伸ばすことに存する。そういう能力は他者との共生のためには必須のものだと私は思うのだが、家庭科も武道も現在の学校教育では基礎科目とはみなされていない。たぶん他者との共生には特別の技術など要らない、あるいは有限の資源を奪い合うラットレースの競争相手の心身の状態など配慮するに及ばないと思っている人たちが教育制度を設計しているからだろう。

空虚感を抱えたイエスマン

世代論というのはあまり好きではないのだけれど、どの世代でも、先行世代において支配的だった「作法」のようなものに対して集団的に反発するということはあると思う。私は「全共闘世代」に類別されるが、次の世代は「しらけ世代」、その次は「新人類」と呼ばれた。その後はどうなったのか、よく知らないけれど、たしかに世代的な特徴というものはある。

新聞の取材で「どうして今の若い人たちはこんな政治の現状に抵抗しようとしないのでしょう?」と質問されて、「空虚感を抱えたイエスマンだから」という答えがふと口を衝いて出て、言った自分で「なるほど、そうか」と妙に腑に落ちた。

空虚感を抱えたイエスマンというのは、わりと適切に今の20代30代の多数派の心性を言い当てているように思う。イエスマン、事大主義者、曲学阿世、「野だいこ」の徒輩はいつの時代にも一定数いる。別に珍しい生き物ではない。けれども、イエスマンが多数派を形成するということはふつうめったに起こらない。諫言することを恐れない硬骨漢から「下らん奴だ」と見下されるのが、けっこう本人にはつらいからである。イエスマンはそこそこ出世するが、めったにトップには立てないし、同僚や後輩から信頼されたり慕われたりすることもない。だから、イエスマンは長期的には「間尺に合わない生き方」というのが世の常識であった。ところが、どうもそれが覆ったようである。イエスマンが主流を占めるようになったのである。

それは「空虚感を抱えた」という形容詞がついたせいである。

「虚しい……」と言いながら、現状を追認し、長いものに巻かれ、大樹の陰に寄るのは、ただのゴマすり野郎とは違う。むしろクールでスマートな生き方だということを言い出す若者たちがわらわらと出て来たのはおよそ10年ほど前のことである。

社会のシステムは劣化し続けているが、このシステムの中以外に生きる場がない以上、その「劣化したシステムに最適化してみせる」他にどうしようがあるというのだ。そう暗い眼をして嘯く虚無的な青年は、上にへらへらもみ手するイエスマンよりだいぶ見栄えがいい。見栄えがいいと、フォロワーが増える。「こんな糞みたいなシステムの中で出世することなんか、赤子の手をひねるように簡単だぜ」と虚無的に笑ってみせると、額に汗し、口角泡を飛ばしてシステムに正面から抗っている愚直な「左翼」とか「リベラル」とか「人権派」より数段賢そうに見える。だったら、そっちの方がいいか。

出世や金儲けはともかく、「スマートに見えるかどうか」ということはいつの時代でも若者たちにとって死活的な問題である。というわけで、「ただのイエスマン」ではなく「身体の真ん中に空洞が空いたようなうつろな顔をしているイエスマン」が輩出することになった。原発が時代遅れのテクノロジーだとは熟知しているが「それ以外に何か経済合理性にかなう代案があるとも思えぬ」と苦笑し、日銀による官製相場が毒性の強い政策だと知りつつも「国民の税金をオレの個人口座に付け替えてくれるなら安倍＝黒田体制にはできるだけ長く続いて欲しい」と嘯く。この世界がろくでもないものであることをオレはよく知っているし、オレは誰よりこの世界を嫌っているけれども、それはこの腐った世界のシンプルな仕組みから自己利益を引き出すことを止める理由にはならない。

最初のうちは「変なのが出て来たな」と思っていたが、そのうちに「ああ、これが当今の風儀なのか」と気がついた。そう言えば、ドナルド・トランプというのはその典型だった。彼はリバタリアンだから、兵役を忌避し、連邦税の支払いも拒んだ。公共のために私財や私権を犠牲にする気はないけれど、公共のものを私するにやぶさかではない。そういう生き方がクールでスマートに見える時代になったのだ。

ある種の「ポイント・オブ・ノーリターン」を通過してしまったらしい。この軌道がこの先どこへ続くのかは、私には想像がつかない。

情理を尽くして説く――書き手に求められているもの

編集部注：「新潮45」事件とは、2018年8月号「新潮45」に自民党の杉田水脈(みお)衆院議員が「LGBTのカップルは子どもを作らない、つまり『生産性』がない」といった内容の記事を発表して、大きな問題となった筆禍事件。新潮社社長の談話発表後、同誌は休刊となった。

「新潮45」が休刊になった。社告によれば、「部数低迷に直面し、試行錯誤の過程において編集上の無理が生じ、企画の厳密な吟味や十分な原稿チェックがおろそかになっていた」結果、「あまりに常識を逸脱した偏見と認識不足に満ちた表現」を掲載してしまったことについて「深い反省の思いを込めて」の休刊である。

海外メディアもこの事件を取り上げた。英紙「ガーディアン」は発端を作った杉田水脈衆議院議員をこう紹介している。

「安倍晋三首相の同盟者である杉田はまだ記事について公式には謝罪を行っていな

い。安倍は先週、『彼女はまだ若い』のだから、辞職圧力は加えていないと述べた。杉田は51歳である。（中略）彼女は第2次大戦前、戦中の日本兵による性奴隷利用を韓国の捏造だと主張してきた人物である」

杉田を擁護してさらに問題を大きくした小川榮太郎氏の記事については「性的少数派の権利を保証することは、列車の中で男が痴漢行為をする権利を認めるべきだということに通じるのではないかと訝しんでいる」と要約している。

たぶんここに言及された人々は、まさか自分たちの書いたものが媒体の休刊をもたらし、それが国際ニュースになるとは思っていなかっただろう。私も2人の記事は読んだ。それは肩の力の抜けた、どちらかと言えばリラックスした調子で書かれていた。あえて良識を逆なでするようなことを書いて、社会問題を起こそうというような作為的な意図はそこには感じられない。おそらく「この程度のこと」はこれまでもあちこちで書いたり、話したりしてきたけれど、これまで何の「お咎め」もなかったからだと思う。

むしろ、どこでもこのような言説は拍手喝采をもって迎えられた。「新潮45」の記事はそういう「成功体験」を踏まえて書かれた文章のように私には思われた。彼らはそういうものを読んで溜飲を下げたいと思っている「身内」を想定読者にして書いたのであり、それを読んで傷つく人間や、憤りを感じるものは端から読者に想定されていなかったということである。

自分の発言に喝采を送ってくれる読者限定に書かれたものである以上、そこに事実誤認があろうと、論理の混乱があろうと、あるいは偏見が露出していようと、気にしないのは当然のことである。その後の杉田議員の沈黙も、小川氏が休刊を「社内外で連携した何らかの組織動員的な圧力」に屈服したとみなしていることから推しても、彼らは「まさかこんな騒ぎになるとは思っていなかった」のである。

けれども、それは本来言論というのは「身内限定」に書かれるべきではないという「常識」を軽んじたことの自明の帰結だと私は思う。私たちが論理の筋目を通し、論拠を示し、出典を明らかにし、情理を尽くして説くのは、読者が身内ではないからだ。自然科学の論文は精密なエビデンス（科学的根拠）と厳正な論理に基づき、主観的願望を介入させないように書かれているが、それは同じ分野の専門家たちの厳しい査定的なまなざしを想定しているからである。文系の物書きにはそれほどの学術的精密さは求められないけれども、「情理を尽くして説く」という構えは分野にかかわらずものを書く人間が手放してはならない基本ルールである。

私自身はたとえば中国やアメリカについて書く時、それが翻訳されて、それぞれの国の人々に読まれる状態を（現実的可能性の多寡にかかわらず）つねに想像している。それは「身内」以外の読者が読んでも、共感も同意も期待できない読者が読んでも、なお読み応えのあるものを書く以外に新たな読者を獲得する手立てはないと思うからである。

「新潮45」事件を振り返る

緊張感のない論客たち

――内田さんはかつて「新潮45」に巻頭論文を寄稿したこともありますが、今回の騒動をどう見ていますか。

今回の事件で最も深刻なのは、問題を起こしたのが権力の近くにいた人たちだったということです。安倍政権下では、閣僚も議員も6年近くさまざまな失言・暴言を垂れ流してきました。でも「ナチスの手口に学べ」というような信じがたい暴言を吐いた大臣も何のお咎めもなかった。だから、「為政者の意に沿う限り、どれほど非常識で非道なことを言っても処罰されない」という確信が今の日本社会には広く流布されてしまった。今回の事件はそのような規律の緩みがもたらしたものだと思います。

「新潮45」は毎月送られてくるのですが、最近は手に取る気がせずに、そのまま捨てていましたけれど、今回の騒動で久しぶりに手に取りました。読んで驚いたのは、問題になっている杉田・小川「論文」の気の抜け方でした。別に、特に世間の良識を逆なでして、社会問題を起こしてやろうというような覚悟を以て書かれたものではないことに逆にびっくりしました。肩の力が抜けた、カジュアルな調子で、「政治的に正しくないこと」がさらさらと書かれている。この「論文」の書き手たちには、LGBT問題について国際的に認知されている「常識」を真っ向から否定することがある種の政治的リスクが伴う行動だという緊張感がなかった。この緊張感のなさが今の極右論壇の際立った徴候だと思います。

それはこれらの執筆者たちが日ごろ「何を書いても、何を話しても拍手喝采してくれる人々」を対象に発信しているということをはしなくも露呈しています。落語では「アマキン」と言いますけれど、芸人が何をしても大受けしてくれる甘い客のことです。アマキンは寄席にとってはビジネス的にはたいへんありがたい存在ですけれど、すぐに芸が荒れるので芸人は強い警戒心を持たなければならない。それが芸道の常識です。

今回の筆禍事件では「論文」の「コンテンツ」の悪質さが問題になりましたけれど、僕はそれ以上に「文体」のずさんさ、芸の荒れ方に胸を衝かれました。

言論で生きる人間が自説を世に問うときには「自分が言わなければ誰も言う人がいないこと」を選択的に言うべきだというのが僕の考えです。自分が黙っていても、「似たようなこと」を言ってくれる他の人がたくさんいるのであれば、自分に与えられた発言機会をあえてそのために使うことはない。それより「自分しか言う人がいないこと。自分が黙ったらこの世から消えてしまうかもしれない知見」を語るべきだ。そう僕は思います。

でも、申し訳ないけれど、「新潮45」からは、「自分たちがこの記事を掲載しなければ、他にそれを伝えるメディアが存在しない」というようなひりひりした使命感はまったく感じられなかった。似たような記事を掲載している似たようなメディアは他にいくつもある。ネットまで勘定に入れれば「似たような言葉」はほとんどどこでも読むことができる。

世の中に流布している「政治的に正しい言説」に挑戦することに僕は反対している

わけではありません。反対するはずがない。僕自身これまで「政治的に正しくない言説」をしばしば述べてきたからです。定型的なものの見方に異を唱えて、言論の場の風通しを良くするために、それはぜひとも必要なことだと思うからです。でも、あえて世間の良識に逆らってものを言う以上、きびしい反論を受け、場合によっては信頼関係や仕事を失うリスクは勘定に入れなければいけない。僕はリスクを取って書いています。

でも、「新潮45」の場合、書き手にも編集者にも「リスクを取る覚悟」が感じられなかった。編集者たちがこのような「異論」を世に問うことが必要だと考え、それに使命感を覚えていたのであれば、「あまりに常識を逸脱した偏見と認識不足に満ちた表現が見受けられました」という社長声明が出た時点で、辞表を懐にして社長と対決してよかったはずです。少なくとも、公の場に出てきて社長声明に反論し、雑誌と執筆者の「名誉」を守ろうとしたはずです。それが「政治的にリスクのある記事」を掲載した雑誌編集者としての筋目の通し方だろうと思います。

それができないというのは、それだけの覚悟がなかったということです。深い考えもなく、「炎上上等」くらいのカジュアルな毒気に駆られてこんな記事を掲載してしまって、反響の大きさにびっくりしている。この「平常時の感覚」で「異常なこと」をしている気の抜け方に僕は驚かされました。

御用メディアの無自覚

――そういう「緊張感のなさ」「覚悟のなさ」は、「新潮45」に限らず御用メディアや御用文化人に目立ちます。

それは先ほども言ったように、「自分の意見に批判的な読者」を想定していないからだと思います。今の政治的言説は、右も左も、「内輪の語法」に居着いているように思います。自分の書くことに対して警戒心をもって臨む読者を想定して、そのようなハードな読者の警戒心を解除し、頑な態度を緩解させ、興味を抱かせ、翻意させることは無理としても、「まあ、そういう考え方にも一理あるかもしれない」くらいのところまで譲歩させるには、それなりの力業が要ります。でも、今の論壇にはそのような「芸」を見出すことはきわめてまれです。そんな面倒なことをしなくても一定数の読者は保証されている。居酒屋のカウンターで酔余の暴論を語るような口調で書いても拍手喝采してくれる「アマキン」な読者がいる。それでは芸が荒れる他ない。

芸に緊張感がない最大の理由は書き手たちに「自分の意見は権力者によって支持されている。だから何を言っても罰されない」という思い込みがあったからだと思います。安倍政権下では、どれほど非常識・反社会的な言説であっても、それが官邸の意向であるという見通しが立てば遠慮なく天下のメディアで口にすることができます。「権力に加担しているものが罰されるはずがない」というのが言論規律の緩みの原因だと僕は思います。

——「権力との距離が近い」という甘えが危険な言説を生み出すという傾向は、日本社会全体で強まっています。

その際立った事例が、津久井やまゆり園で、元職員が19名を刺殺し、26名に重軽傷を負わせた事件です。犯人である植松聖は犯行前に衆議院議長あてに犯行予告の手紙を職員に託していますが、そこには心神喪失での無罪判決や5億円の支援などの「要求」が掲げられており、「作戦実行の許可」を求めるとともに、「是非、安倍晋三様のお耳に伝えて頂ければと思います」と依頼している。逮捕後も「自分は権力者に守られているから死刑にはならない」などと口走っていました。

もちろん「生産性のない人間を殺すことは政権の意に沿う行動だ」というのは犯人の妄想に過ぎませんけど、そのような妄想が彼の中で育ったのには、政治家たちの発言や極右論壇に毎月のように掲載される「弱者叩き」記事が深く関与していることは間違いありません。

このような暴論暴説の類はこれまでもありましたが、マイナーな言論空間から出ることはありませんでした。しかし、安倍政権下で、それがいわば「公認」を得た。生活保護受給者へのバッシングや、反原発や反基地運動への「反日」レッテル貼りや、民族差別やLGBT差別を堂々と行う人たちが政権によって重用されるようになった。それを「成功体験」とみなす人たちが御用メディアに群がるようになった。

「新潮45」事件は、そのような趨勢がこの社会の受忍限度を超えて、「いい加減にしろ」という気分が出て来たことの現れだと思います。ですから、休刊は「安倍三選」後の内閣支持率低下や沖縄県知事選での自公推薦候補の大敗と同じ政治的な文脈で起きた出来事だと見なしてよいと思います。

権力批判は「コンビニで怒鳴っているオヤジ」？

――新潮社に限らず、ＮＨＫや読売新聞、産経新聞は政権にすり寄っています。朝日新聞や毎日新聞は安倍政権に批判的ですが、いまいち批判し切れていません。

大手新聞も、政権に対してひどく腰が引けている。顕著なのは暴論を「両論併記」として取り上げる傾向です。ふつうなら全国紙で発言する機会のなさそうなイデオローグが「両論」の一方に紹介されて自説をまくしたてている。新聞は両論併記することで中立的にふるまっていると言いつくろうつもりでしょうけれど、実際には暴論の拡散に加担している。

「Denial（否認）」という映画があります。イギリスであった歴史修正主義をめぐる実際の裁判を素材にしたものですが、その中で、どのような無根拠な妄説でも論争の対象になりさえすれば「学説」に格上げされるということが語られていました。映画では、「アウシュヴィッツにガス室は存在しなかった」という暴論を立てた歴史家が出てきて、名誉棄損裁判の場で「ホロコーストはなかった」と主張する機会を手に入れます。歴史修正主義者は「両論併記に持ち込んだら勝ち」という考えをすることについて日本のメディアはあまりに無警戒だと思います。現に、この映画の原題は「否認」なのに、邦題は「否定と肯定」と「両論併記」に書き換えられていました。それが歴史修正主義に加担することだということに配給会社はどれくらい自覚的だったんでしょう。

――どうして新聞はそんなに腰が引けてしまったのですか。

これは世代論になってしまうんですけど、先日「どうして若い記者は政治家に食ってかかる根性がないんだろう」と首を傾げていたら、コラムニストの小田嶋隆さんが「彼らは争いごとが嫌いなんだ」と教えてくれました。当今では政権を批判することは、コンビニで店員に怒鳴り散らしたり、列車の遅れについて駅員を怒鳴ったりするのと同じような「言っても仕方がないことを言って、周りにうるさがられている行為」とみなされているらしい。言われてみればたしかにその通りかもしれないなと思いました。

コンビニでお酒や煙草を買うと年齢確認を求められますけれど、「オレが未成年に見えるか！」と店員を怒鳴っても、年齢確認システムそのものは変わりません。政権に抗議して国会デモに行くのは、年齢確認システムについて店員に文句を言うのと同じで、「やっても何も変わらないことを自己満足のためにやっている」ように見える。そう教えてもらいました。これは、かなり納得しました。

官邸の記者会見では、東京新聞の望月衣塑子記者が一人で官房長官に食ってかかっている中で若い記者たちは黙って下を向いていますけれど、彼らは望月記者のことをたぶん「コンビニで怒鳴っているオヤジ」の同類だと思っているのでしょう。麻生太郎副総理に暴言を吐かれて黙っている記者たちは権力者に異議を申し立てても「しかたがない」という諦念が身体にしみついているのでしょう。

――なぜ若い世代は現状を変革しようという意欲を失ってしまったのでしょうか。

それだけ社会が分断されて、個人が孤立しているからだと思います。親族や地縁共同体やあるいは終身雇用の企業や組合は個人の発意を社会システムに連接する回路としても機能していたわけですけれど、そういう媒介的な機能を担うものがなくなってしまった。その結果、個人とシステムがいきなり向き合うことになる。システムが相手じゃ個人には手も足も出ません。できるのはシステムに適応して、うまく立ち回ることだけです。システムの欠陥や不備があっても文句を言わない。システムを変えることなんか思いもよらない。そういう人が増えているんだと思います。

マイナーなメディアが言論の自由を取り戻す

――しかし、権力を批判しないメディアには、政府広報以外の存在意義はありません。

そうでもないですよ。権力批判に及び腰なのは全国紙やテレビの在京キー局だけで、それ以外のメディアは歯に衣着せぬ権力批判をやっています。

たとえば、２０１４年の衆院選のときに自民党がテレビ局に対して「公平中立」な選挙報道を求めたことがありましたけど、あの通達が出されたのは在京キー局だけだったんです。大阪のテレビ局の人は「官邸が放送内容に口を出すのは腹が立つけれど、東京以外のメディアが無視されたことにはもっと腹が立つ」と言っていました。でも、そうなんです。安倍政権は「日本の政治に影響を与えるのは全国紙と在京キー局だけで、それ以外のメディアは存在しないも同然」という前提に立っている。だから、彼らは全国紙と東京のテレビのコンテンツは検閲していますけれど、それ以外のメディアはチェックしていない。たぶんそれほどの人的リソースが官邸にはないのでしょう。

だから、ラジオのようなマイナーなメディアや地方紙には検閲が及ばない。まして、海外メディアには今ネットで簡単にアクセスできますから、それを経由して日本で何が起きているか知ることができます。でも、「日本で起きていることの意味」を知るために「ニューヨーク・タイムズ」や「ガーディアン」の記事を読まなければならないというのは、日本のメディアにとってはきわめて屈辱的なことなんです。

今後、新聞も民放も衰退してゆくでしょう。でも、メディア全体が衰退するわけじゃない。社会からメディアの役割がなくなることはありません。今の若い人たちは新聞も読まないし、テレビも見ない。でも、それぞれ自分の才覚で信頼できるメディアを探し出してきて、情報を収集している。そういうときに選ばれるメディアとして、「月刊日本」には生き残っていってほしいですね。

――内田さんは安倍政権に批判的な政治的発言をしていますが、言論人として権力批判をどう考えているのですか。

僕は自分の言論活動を「反権力」とか「権力批判」とかだと思っていません。政権に対するスタンスは是々非々です。「住み易い社会」を実現するために、与えられた条件の中で最善の選択肢はどれかについて意見を述べているだけです。僕は骨の髄までプラグマティックな人間なので、「正しい社会」の実現には興味ないんです。安倍政権に批判的なのは、それが「生きづらい社会」を作り出しているからです。

人間が自分の不自由さに気づくのは、自分の想像を超えて自由に生きている人に出会ったときです。「なんだ、これくらいのことはしてもいいんだ」と知ったときに人間は解放される。僕があえて過激な発言をするのは、若い人たちに対して「これくらいのことはしゃべっても大丈夫」ということを伝えるためでもあるのです。先に地雷原を歩いてゆく人が、歩いた道筋にフラグを立てておけば、「あそこまでは行ける」とわかるでしょ。そういうかたちでリスクを引き受けることが年長者のつとめだろうと思っています。

無言でも無駄話でも「会議」になる

以前、精神科医の春日武彦先生とおしゃべりしていたときに、非常に難しい症例でも、「時間が経つと、思いがけない仕方で解決することがある」という話を伺った。患者を精神的に支配したり、追いつめていたりしていた身近な人がぽっくり死んだりすると、一気に症状が緩解することがあるのだそうである。

「だから、何もしないでぼおっと『何かが起きるのを』待っているというのも、ひとつの治療法、場合によってはきわめて有効な治療法なのです」という話を春日先生に聞いて、深く得心(とくしん)した覚えがある。

日本では伝統的に「熟議」ということが尊ばれる。今どきの政治家でもその言葉をよく使う人間がいる。辞書的意味は「十分に議論を尽くすこと」であるけれど、この場合の「十分に」は「十分な時間をかけて」という意味と解すべきである。議論の中身がどれほど薄かろうと、浅かろうと、時間さえかければ「熟議」の要件は満たすのである。

現に、国会で法案を審議するときにメディアは「審議時間」の長短をうるさく書き立てる。審議を打ち切って強行採決をするときの委員長も「必要なだけの時間はかけた」という言い訳を必ず口にする。過去の重要法案のときにはこれだけ時間をかけたのに、今回の法案の審議時間はそれにはるかに及ばないということを不満に思ったか、過去の審議時間のリストを掲げた新聞もあった。それを読んで、「わが国では『熟議する』というのは、要するに『時間をかける』ということであって、議論の質とは無関係であるという語義解釈が定着したのだな」と納得した。現に、わが総理大臣は質問と関係のない話を延々として、審議時間を空費することについては技術的に洗練の域に達している。このような特技を磨き上げるに至ったのも、「時間さえ経過すれば、『熟議した』というエクスキューズは成り立つ」ということについての国民的合意が存在するからである（私は同意しないけれど、衆寡敵せず（しゅうかてき）である）。

だが、このような考え方も決して間違いとは言えないのである。

現に、決し難い難問を前にして、だらだらと時間を引き延ばしているうちに、想定外のことが起きて、たちまち問題が解決ということは春日先生のおっしゃるように想像以上によく起きるのである。

封建時代の村落共同体における合意形成はおおむね「だらだら」型であった。誰かが理路整然と正論を述べて、ぼそぼそと異を唱える少数派を鮮やかに論破して衆議をまとめるというようなクリアカットな解決は好まれなかった。それよりは「だらだら」と無意味に議論を引き延ばしているうちに事情が変わって対立軸がなくなり、「こうなったら、もうこれしかないわな」という諦めのうちに満場一致の結論にめでたく至り着くということが好まれたのである。それだけ、昔の人は時間があったということである。

残念ながら、今はもうその時間がない。にもかかわらず、「理路整然と正論を述べて……」を忌避するという態度だけは残り、「だらだら」という擬態語が意味するタイムスパンだけが数年、数カ月からどんどん短縮されて、ついに数週間、数日、数時間にまで縮減されたのである。その結果、実のある議論をしないでも「もうこれしかないか」という諦めの感情が醸成されたらそこで話は終わりというのが現代日本の意思決定プロセスの基本形となった。

そして、経験的に言って、人に諦めの感情を抱かせる最も効果的な方法は「一方的にうるさく自説を言い立てて、相手の話を聞かない」ことである。そう考えるといろいろな不可解な現象に得心がゆく。

「歴史の風雪に耐える」とか「棺を蓋いて事定まる」という言葉ももはや死語となった。ことの良否や功罪を確定するためにそんな長い時間待つことはもう許されないのである。それだけ短い「時間」の中で人々は暮らしているということである。

何年か前に国立大学が独立行政法人化したときに「中期計画」の策定が義務づけられた。中期とは6年のことであった。それ以上長い「長期計画」については策定が求められなかった。どうして長期計画は不要なのか考えた。そしたら、6年というのが「株式会社の平均寿命」にほぼ等しいことに思い至った。株式会社の場合、収益が上がらず、株価が暴落したら、その時点で「ゲームオーバー」である。役人たちは平均寿命が6年の生物が10年後、20年後のわが身について考えることが不要であるという「株式会社の常識」を大学にも適用したのである。

これについて「大学のような機関に長期計画がないのはおかしいのではないか」と論じた人が誰もいなかった。なるほど、現代日本人にとって「想像しうる最長の未来」

は今から6年後までで、それ以後どうなろうと「あとは野となれ山となれ」と思いなすのがデフォルトになったということである。それは原発再稼働とか日銀の「異次元」政策とかを一瞥（いちべつ）するとしみじみと分かる。そんな国で「歳月」について語ることはあまりに虚しい。

第2章

気が滅入る行政

日本社会全体が「株式会社化」している

編集部注：2017年10月に安倍晋三首相による衆議院解散を受けた総選挙が終わり、約3週間。夏頃は「安倍政権への信任投票」などと喧伝（けんでん）されていたが、いつの間にか希望の党と立憲民主党ばかりが俎上（そじょう）に載せられていた。この総選挙はいったい何だったのか。

安倍独裁制　ほんとうの正体

総選挙の総括として本誌〔サンデー毎日〕からかなり多めの紙数を頂いたので、この機会に言いたいことを歯に衣着せず全部書いてみたい。読んで怒り出す人もいると思うけれど、ご海容願いたい。

総選挙結果を見て、まず感じたのは小選挙区制という制度の不備である。比例区得票率は自民党が33・3％。議席獲得数は284で、465議席中の61・1％だった。立憲民主・共産・社民の3野党の比例得票率は29・5％だが、獲得議席は69で14・8％にとどまった。得票率と獲得議席配分の間には明らかな不均衡が存在する。

初期入力のわずかな違いが大きな出力の差を産み出すシステムのことを「複雑系」と呼ぶ。代表的なのは大気の運動である（「北京での一羽の蝶のはばたきがカリフォルニアで嵐を起こす」）。株式市場における投資家の行動も、小選挙区制度もその意味では複雑系のできごとである。現に、カナダでは1993年に行われた下院総選挙で、与党カナダ進歩保守党が改選前の169議席から2議席に転落という歴史的惨敗を喫したことがあった。

政権交代可能な選挙制度をめざす以上、「風」のわずかな変化が議席数の巨大な差に帰結するような複雑系モデルを採用したというのは論理的には筋が通っている。私たちは「そういう制度」を採用したつもりだった。株価が乱高下するように議席数が乱高下する政治制度の方が好ましいと多くの日本人は思ったのである。だが、導入して20年経ってわかったのは、小選挙区制は複雑系ではなかったということである。今の日本の小選挙区制は、わずかな変化は議席獲得数には反映せず、政権与党がつねに圧勝する仕組みだったからである。なぜ、複雑系として設計されたはずのこのシステムが決定論的なシステムとして機能するようになったのか？

それは低投票率のせいである。

有権者の選挙に対する関心が希薄で、投票率が低ければ低いほど、巨大な集票組織を持ち、既得権益の受益者たちから支持される政権与党の獲得議席は増える。そういう仕組みだということはこれまでもメディアでしばしば指摘されてきた。だが、その先のことはあまり言う人がいない。それは、そうであるとすれば、今の選挙制度下では政権与党の主たる関心はいかに無党派有権者に投票させないかに焦点化するということである。論理的に考えれば、たしかにそれが正解なのである。かつて「無党派層は寝ていて欲しい」と漏らした首相がいた。正直過ぎる発言だったが、言っていることは理にかなっている。それゆえ政権与党は久しくどうやって投票率を下げるかにさまざまな工夫を凝らしてきた。そして、彼らが発見した最も有効な方法は「議会制民主主義はもう機能していない」と有権者に信じさせることだった。

「印象操作」を成功させる国民の鈍さ

今回も「積極的棄権」を呼びかけた知識人がいた。彼は「議会制民主主義はもう機能していない」という痛苦な現実を広く有権者に知らしめようという教化的善意からそうしたらしいが、「議会制民主主義はもう機能していない」と有権者が信じることからも最も大きな利益を得るのが政権与党だという事実を見落としていたとしたらいささか思慮が浅かったと言う他ない。

事実、「立法府は機能していない」という印象操作に安倍内閣ほど熱心に取り組み、かつ成功した政権は過去にない。質問に答えず、はぐらかし、詭弁（きべん）を弄（ろう）し、ヤジを飛ばし、法案内容を理解していないので野党議員の質問に答えることのできない大臣を答弁に立たせ、審議時間が足りたと思うと殴り合いと怒号の中で強行採決をした。臨時国会の召集要請に応えず、野党の質問を受けるのが嫌さに国会を解散し、選挙後の特別国会では所信表明も代表質問もなしにいきなり閉会しようとした。これらの一連の行動は与党の驕（おご）りや気の緩みによってなされたわけではない。そうではなくて、「国会は実質的にはほとんど機能していないので、あってもなくてもどうでもよい無用の機関だ（現に国会閉会中も行政機関は平常通り機能していたし、国民生活にも支障は出なかったではないか）」という印象を国民の間に浸透させるために計画的に行われているのである。

同じ配慮はこれまでも議員の選考において示されてきた。

自前の後援会組織を持ち、それなりの政治的見識を持っているので党執行部に抗っても当選できるというような気骨のある政治家は遠ざけられ、代わりに執行部の「面接」を受けて、その眼鏡にかなったサラリーマン議員たちが大量に採用された。彼らは選挙区を割り振られ、資金も組織も丸抱えの党営選挙で議員になった。だから、執行部に命じられるまま立ったり、座ったり、野党の質問にヤジを飛ばしたりする「ロボット」であることに特に不満を抱いていない。同じことは他の野党にも見られる。維新の会も都民ファーストも、当選した議員たちはメディアのインタビューに個別に答えることを禁じられていたが、多くの議員はそれに不満を抱いているようには見えなかった。「議員は個人の政治的意見を持つ必要はない。いかなる政策が正しいかを決定するのは上の仕事である」という採用条件を知った上で就職した政党「従業員」

としては、それが当然だと彼らは信じていたのである。

立法府の威信は、このような粘り強い掘り崩しによって著しく低下した。立法府が「国権の最高機関」としての威信を失えば、行政府の力が強まる。今、子どもたちに「国権の最高機関は？」と訊ねたら、ほとんどの子どもは「内閣」と答えるだろう。現に、安倍首相は2016年の衆院予算委員会で野党委員の質問に対して「議会についてはですね、私は立法府、立法府の長であります」と発言した。のちにこれは「行政府の長」の言い間違いであるとして、議事録は修正されたが、フロイトを引くまでもなく、こういう「言い間違い」のうちに人の隠された本心が露呈する。首相は単独過半数を擁する政党の総裁であるわけだから、通したい法案は通せる。だから彼が「自分は行政府の長であり、かつ立法府の長でもある」と内心では思っていたとしても不思議はない。しかし、それでもこの「言い間違い」が含意している政治的な意味について、日本のメディアはあまりに無頓着だったように思う。

今さら定義を確認するまでもないが、立法府は「法律の制定者」であり、行政府は「法律の執行者」である。この二つが別の機関であるような政体を「共和制」と呼び、法律の制定者と執行者が同一である政体のことを「独裁制」と呼ぶ。安倍首相は「私は立法府の長である」と口走ったときに「日本は独裁制である」と言い間違えたのである。普通なら政治生命が終わるはずの失言である。後からこっそり議事録を書き換えて済む話ではない。

けれども、メディアも有権者もその言い間違いをうるさくは咎めなかった。それは首相自身と同じように人々もまた「立法府は行政府の長が実質的には支配している」と実感していたし、「それで何が悪いのか？」と思う人さえたくさん存在していたからである。

自民党改憲草案の「目玉」は緊急事態条項であるが、これは平たく言えば、民主的手続きによって独裁制を成立させる手順を明記したものである。

草案によれば、内閣総理大臣は「外部からの武力攻撃、内乱等による社会秩序の混乱、地震等による大規模な自然災害」に際して緊急事態の宣言を発することができる。緊急事態が宣言されると、憲法は事実上停止され、内閣の定める政令が法律に代わる。衆院選挙は行われないので議員たちは宣言下では「終身議員」となる。つまり、発令時点で与党が過半数を占めていれば、国会が承認を繰り返す限り、緊急事態宣言は半永久的に延長できるのである。そのような宣言の無制限の延長は不当であるという国民の声は議会外でのデモやストで表示するしかないが、そのような行為そのものが「社会秩序の混乱」として緊急事態宣言の正当性を根拠づけることになる。

そういう出口のないループに日本国民を閉じ込めるための法的装置として緊急事態条項は整備されているのである。だが、このように「独裁制への移行」が着々と準備されていることに対して、国民の反応はきわめて鈍い。それどころか先に述べたように「独裁制で何が悪いのか？」と不思議がる人がもう少なくない。今回の選挙でも、若い有権者たちが自民党に好感を持つ傾向があることが指摘された。それは自民党が作ろうとしている独裁制社会が彼らにとって特に違和感のないものだからである。

若い人たちは「株式会社のような制度」しか経験したことがない。トップが方針を決めて、下はそれに従う。経営方針の当否はマーケットが判定するので、従業員は経営方針について意見を求められることもなく、意見を持つ必要もない。それが、彼らが子どものときから経験してきたすべての組織の実相である。家庭も、学校も、部活も、バイト先も、就職先も、全部「そういう組織」だったのだから、彼らがそれを「自然」で「合理的」なシステムだと信じたとしても誰も責めることはできない。

構成員が民主的な討議と対話を通じて合意形成し、リーダーは仲間の中から互選され、その言動についてつねにきびしい批判にさらされている「民主的組織」などというものを今時の若い人は生まれてから一度も見たことがない。見たことがないのだから、彼らが「そんな空想を信じるなんて、あんたの頭はどこまで『お花畑』なんだ」と冷笑するのは当然なのである。

以上が総選挙結果を見て感じたことである。政権与党の目標は、さしあたり国会は立憲デモクラシーのアリバイ作りのための空疎なセレモニーの場であり、議員たちは「選良」というにはほど遠い人物ばかりであるという印象を国民に刷り込むことである。これは日々成功し続けている。そうして立法府の威信は崩壊し、行政府への権限集中に対する国民的期待が高まる。そういう文脈の中で見ると、安倍政権のすべての行動が周到に準備されたものであることがよくわかるはずである。

国会の威信は回復するか

さっぱり希望のない総括だが、原因がわかれば対処のしようもわかる。立憲デモクラシーを守るために私たちがまずなすべきことは立法府を良識の府として再興することである。国民の代表者がその知性と熱誠を賭して国事を議す場としての威信を回復することである。そのためには国会の威信をいたずらに貶(おとし)めている制度の見直しが必要である。

第一に、政党の得票数と議席数が相関するような仕組みに選挙制度を改めること。第二に、首相が任意のときに「国民を代表する選挙された議員」を失職させることができるという憲法違反の7条解散を廃し、解散条件を憲法69条に定める通り、衆院で不信任決議案が可決されるかまたは信任決議案が否決された場合に限定すること。この二つは立法府再興のために必須である。

以下は努力目標。

1 「国会は機能していない」というのは事実認知的言明であるが、それは同時に「だから選挙なんかしても無駄だ」という遂行的なメッセージをも発信することだということを周知させること。

2　「すべての社会制度は株式会社のように組織化されるべきだ」というのは理論的には無根拠で、実践的には破綻しかけている一つのイデオロギーに過ぎないことを明らかにすること。「株式会社モデル」は営利目的の組織には適用できても、存続することとそれ自体が目標であるような集団（親族や部族や国家）には適用できない。

3　人々が対話を通じて意見をすり合わせ、合意形成し、採択した政策については全員が責任を持ってそれを履行するという社会契約は戦後日本社会にはついに根づかなかったという痛ましい歴史的事実を見つめること。そして、立憲デモクラシーという社会契約を日本社会に根づかせる事業は未了であるどころかある意味ではまだ始まってさえいないと認めること。

立憲デモクラシーの再興（というより起動）にはそれだけの手間と時間をかけるしかないのである。私が今言えるのはこれくらいである。

安倍政権と米朝対話

２０１８年５月の中頃に韓国の「ニューストップ」というネットメディアからメールで取材があった。

なかなか答えにくい質問だったけれど、とにかくこんなふうにお答えした。月末に返信したので、翌月には韓国内で配信されたのではないかと思う。

南北対話、米朝対話の進行と安倍政権の動きについてのお訊ねであった。

――２０１８年、南北の首脳が共に非核化を目指す板門店宣言を行いました。安倍政権はこれまで、北朝鮮の脅威から日本を守るために、「日本を取り戻す」、そのために９条も改憲するといったプロパガンダを展開していましたが、脅威が薄れたことで国民に受け入れられにくくなるものと考えられます。いかがでしょうか。

北朝鮮の脅威を根拠に、改憲や軍事力増強を正当化してきた安倍政権のプロパガンダそのものはこれで説得力を失います。しかし、安倍政権を支持しているコアな層（日本の有権者の30％強）は別に合理的根拠に基づいて政権を支持しているわけではありません。

ですから、北朝鮮の「危機」なるものがいくぶんか解消されたとしても、彼らは改憲や軍事力増強が必要であることの根拠はまた別のところから探してくると思います。たとえば、中国の東シナ海への領土的野心とか、アメリカの東アジアでのプレゼンスの低下による地政学的なエアポケットの発生とか、あるいは南北統一後に登場する朝鮮半島の新たな政体の対日軍事圧力の強化とか……いくらでもそれらしい理由を思いつくはずです。

——日本の極右政治勢力は、その思想的ルーツを、個人主義と民主主義を排撃させた国体論に求めているように思います。しかし、天皇を主権とする政治イデオロギーが実践されているかというと、私には疑わしく思えてならないのですが、先生の見解はいかがでしょうか。

伝統的に日本の極右は「天皇主義」を掲げていますが、明治以来現在に至るまで、日本の極右は自分たちの当面の政治的目的達成のために、そのつど天皇制を功利的に利用してきたに過ぎません。天皇の威を借りて私利私欲を満たそうとする人々を「天皇主義者」と呼ぶことに私は同意しません。

また日本の極右は「外国軍軍隊が半永久的に国内に駐留していることに一切異議を唱えない」世界でも例外的な「ナショナリスト」ですが、そんな奇妙なことが可能なのは、日本の極右は、天皇のさらに上位にアメリカがいることを知っており、このアメリカという「日本の真の支配者」に忠誠を誓っているからです。

ですから、日本の極右はあくまで「属国・衛星国の極右」であって、その忠誠の対象は「自国の天皇」でも、「自国の政治勢力」でもなく、「その上にあるもの」です。

ですから彼らはその語の厳密な意味で「ナショナリスト」とか「天皇主義者」と呼ぶことはできません。これに似た政治的事象を探すならば、かつてのナチス支配下のヨーロッパ諸国における「対独協力者」たちや、ソ連支配下の東欧諸国における「共産主義者」がそれに近いと言えるでしょう。

――安倍政権の、北朝鮮脅威を利用したプロパガンダは、安倍総理の祖父であった岸信介氏らが米国から自由世界の指導者として認めてもらうために強力な反共イデオロギーを展開したことと似ていると思います。米国を中心とした「自由世界」の論理に従うのは、民主主義に同意しているわけではなく、結局は強力な反共主義に基づいているのではないかと思いますが、先生の見解を聞かせてください。

彼らのアメリカへの忠誠は「反共主義」というようなイデオロギー的なものではないと思います。これは73年にわたって対米従属を続けてきたことの結果です。強大な政治的パワーに従属し、その指示に従い、その保護を受けることを通じて、それにたいする「ごほうび」として強大な権力者に自己利益を確保してもらう、という従属的な生き方が深く内面化してしまった人たちがいます。彼らが現代日本の政官財メディアの指導層を占めているということです。彼らは反共主義にも、民主主義にも、自由世界にも別に興味はありません。たまたまアメリカがそのような大義名分を掲げている国家なので、それに対して親和的にふるまっているだけです。彼らはアメリカの属国ではなくソ連の属国に生まれたら、共産主義や一党独裁を熱狂的に支持するようなタイプの人間たちです。

——最近、欧米諸国でも右翼政治勢力が大衆的支持を得て、一国主義を平気で主張している人たちが増えてきています。前出の質問と同様に、彼らが考えていることは自分たちの政治的利益だけで、公共的目的とは無関係だと思いますが、いかがでしょうか。

長期的に考えれば、一国主義や排外主義が支配する非寛容で閉鎖的な社会は、いずれは生命力を失い、それにつれて国運そのものも衰微してゆくことになります。けれども、短期的には「この社会がこんなにうまくゆかないのは誰のせいか？」という他責的な問いですべての問題が解決できる（ような気がする）のはずいぶん気楽なことです。その目先の安心を求めて、長期的な国のあり方について考えることを停止した人たちが、世界のどこでも多数派を占めつつあるということだと思います。

——朝鮮半島の南北和解ムードが高まりつつあり、安倍総理はそれに便乗するかたちで政治的な勝負に出ようとしています。拉致問題と日朝国交正常化がそれだと予想していますが、総理自身はそれに対して今まで何の努力もしていないように思います。先生のご意見を聞かせてください。

ご指摘の通り、安倍首相は半島の政治的難問の解決のためにこれまで何一つ貢献してきておりません。ですから、彼が何らかの「政治的勝負」に出ようとしても、近隣諸国は彼を重要な外交的なプレイヤーとして処遇することはないでしょう。ただ、支持率が低下して政治生命の危機を迎えた安倍首相に外交的得点を与えるという「餌」で釣って、拉致問題や国交正常化で北朝鮮が日本に譲歩する「ふりをする」ことはおおいにあり得ます。それと引き換えに制裁の解除や経済支援などを引き出そうとする。今の日本政府だとその「餌」にとびついて北朝鮮にいいようにされる可能性は否定できません。

――私は日本はもちろん、北東アジアの民族主義ということについて懐疑的です。近代の民族国家を構成する理念としてのナショナリズムではなく、人種主義に過ぎないというのが結論です。自分のアイデンティティーに対する規定ではなく、他者に対する否定から始まり自己強化、確証バイアスにもつながったということです。アジア人民はこのような限界、あるいは慢性的な問題を克服できるのでしょうか。

ナショナリズム、レイシズムの克服は原理的に困難だと思います。人間は精神の安定を得るためには、ある種の集団に深く帰属しているという政治的「幻想」をつねに必要としているからです。人間のこの本質的な「弱さ」を受け容れた上でしか、ナショナリズム、レイシズムの批判は始まらないだろうと思います。

いま、世界中でナショナリズム、レイシズムが亢進(こうしん)しているのは、人々が「ある種の共同体に深く帰属している」という実感を持ちにくくなったせいです。家族も地域共同体も、疑似家族としての企業共同体も、すべてが解体のプロセスにあります。その中で原子化・砂粒化した個人が、「国家」や「人種」という幻想に必死にしがみついている。

この難問を解決するためには、一人一人が帰属できる共同体、相互扶助的な手触りのたしかな共同体を国民国家の内部にもう一度構築するほか手立てはないと私は考えています。私が現在、日本国内で行っている活動は、そのような「小さな相互扶助的な共同体」の再構築の試みです。同じような志を持ち、同じような共同体再生をめざしている人は、世界の各地にすでに広く存在していると私は信じています。

#ＭｅＴｏｏ運動は「セクハラ狩り」か

アメリカで#ＭｅＴｏｏ運動が始まったのは２０１７年の秋のことである。ハリウッドの映画プロデューサー、ハーベイ・ワインスタインの性的ハラスメント疑惑が「ニューヨーク・タイムズ」に報道されたことがきっかけになった。

ワインスタインはキャスティング権を利用して役を求める女優たちに性的な奉仕を求め、拒絶した女性の活動を妨害したなどの件で30人以上〔２０１８年1月〕の女優やモデルたちから訴えられたのである。彼に対する告発には被害者自身だけでなく、ジェニファー・ローレンス、メリル・ストリープ、グレン・クローズ、ジェーン・フォンダといったビッグネームも加わった。ワインスタインは映画芸術科学アカデミーから追放され、プロデューサーとしてかかわった作品も次々製作中止に追い込まれ、完成作品のクレジットからも名前が削られた。

だが、この事件は一個人の醜聞では収まらなかった。「権力を持った男たちはどれほど女性に性的なハラスメントを行っても罪に問われることがない」というアメリカ社会に根づいた慣行に対する告発として爆発してしまった。映画監督のオリヴァー・ストーン、ブレット・ラトナー、俳優のケヴィン・スペイシー、ダスティン・ホフマン、ジェームズ・ウッズらが過去のセクハラで告発された。波紋はすぐに映画界の外にも広がり、ジャーナリストや政治家や裁判官がほぼ毎日のように新たな告発対象となった。２０１７年12月のアラバマ州上院議員選では、州の元最高裁長官だった共和党候補が38年前に未成年のときにセクハラ被害を受けた女性の告発を受けて、トランプ大統領の必死のてこ入れにもかかわらず落選した。＃ＭｅＴｏｏ運動はヨーロッパにも広がっており、もうこの流れは止まることはないだろう。

「ハラスメント」は古仏語 harace（追跡）に由来する。「猟犬に追われた獲物が感じる、倒れるまで終わりなく続くきわめて激しい疲労」という語源の持つ絶望的な含意は「性的いやがらせ」という訳語では言い尽くすことができない。だが、ハラスメントの被害者が感じているのはまさにこの「生きる意欲を損なうほどの疲労」なのである。

女優サルマ・ハイエクは同12月の「ニューヨーク・タイムズ」でワインスタインの

性的「ハラスメント」の実態を詳細に報告したが、被害者に無力感を植え付け、反抗する気力を失わせて屈従を強いること、それは生理的欲求の解消を求める質のものではない。一人の人間の生きる意欲そのものを傷つける「呪い」に類するものなのである。

「性的ハラスメント」という表現における「性的」という限定に目を取られていると、ハラスメントの本質を見損なうことになる。つい先日アメリカで告発された事例ではナショナルチームの医師が100人に及ぶ女性アスリートにハラスメントをしていた。問題は久しく多くの被害の訴えがあったにもかかわらず、体操協会も医師の勤務先大学も、何の対処もしなかったということである。しばしばハラスメント以上に、加害者を監督し、罰すべき立場にあった人々の「不作為」が犠牲者たちを傷つけた。

フランスでは、先般この運動の「清教徒的潔癖さ」に疑念を呈する100人の女性による公開書簡が「ル・モンド」紙に掲載されたが、ただちに猛然たる批判の十字砲火を浴びて、署名者の一人カトリーヌ・ドヌーヴは弁明に追われることになった。

#MeToo運動を単なる「セクハラ狩り」に矮小化してはならない。この運動はあまりに日常化しているせいでそれと感知されない暴力的な支配——被支配の関係を

可視化するものである。その射程は遠く、その激震はいずれ日本にも伝わるはずである。

編集部注：アメリカで#ＭｅＴｏｏ運動が始まったのは２０１７年の秋のことである。その動きは日本にも到来し、２０１８年には、男子受験生に有利な採点をしていたことが発覚した入試不正事件、女子大生を性的対象とみて記事化した週刊誌問題など、これまでなら女性が泣き寝入りさせられていたような案件に、さまざまなアクションが起こった。

思考停止のためのルール

2018年春時点、日替わりで行政の不祥事が報道されているので、この記事が新聞に出る頃に日本の政局がどうなっているのか皆目見当もつかない。だが、どちらに転ぼうとも「行き着くところまで行く」という流れに変わりはないだろう。

「行き着くところまで行く」というのは、言い換えると「このままの方向に進むととんでもないことになるということがわかっていても、手をつかねて何もしない」ということである。「最悪の事態が到来するまで何もしない」というのは日本人の宿痾(しゅくあ)である。

組織的危機の到来を警告する人間は日本社会では嫌われる。事故を起こした原発でも、コンプライアンス違反や法令違反を犯した企業でも、「こんなことを続けていると、いつかたいへんなことになる」ということを現場の人間は知っていたはずである。自分たちがやるべき手順を抜かし、守るべきルールを守らず、定められた仕様に違反していたことは現場にいる人間は知っている。でも、それを上司に伝えても「嫌な顔」をされるだけだった。ここでそれを指摘すれば、経営陣はこれまでそれを放置してきたことの責任を問われる。壊れたシステムの補正のためにはそれなりのリソースを割かねばならない。仕事が増えるし、利益が減るし、外に漏れれば会社の評判に傷がつく。だったら「見なかったこと」にして、先送りした方がいい。人々はそう考えた。いずれ「たいへんなこと」が起きるだろうが、そのときには自分はもう満額の退職金を手に退職した後である。短期的に自己利益の多寡だけを見れば、「見なかったこと」にする方がたしかに賢い生き方である。現に、「今すぐ非を認めて補正した方がよい」と諫言する人たちは嫌われ、排除され、「全く問題はありません」と言い募る人々が出世を遂げていったからである。

でも、そうやって、ある日気がついてみると、「どれほど危機的な事態に遭遇しても、何もしないで先送りして、ますます事態を悪化させることに長けた人々」ばかりで日本社会の指導層が占められるようになった。それが現状である。

「最悪の事態が到来するまで何もしない」というのは、日本の組織に限って言えば、それなりに合理的な解である。そのことは残念ながら認めなければならない。というのは、日本人は「最悪の事態」について考えると、とたんに思考停止して、絶望に陥り、使い物にならなくなるからである。ほんとうにそうなのだ。

人口減少についてのデータに基づいて「これから経済成長を望むのは不可能だ」と書いたらたくさんの人に叱られた。「そういう衰亡宿命論を口にするな」「悲観的になるな」と言うのである。別に私は衰亡宿命論を語っているわけではない。気質的にはたいへん楽観的な人間である。だから、人口が減り、超高齢化した日本でも、それなりに愉快で豊かな生活はできるはずだから、その手立てについてみんなで知恵を出し合おうではないかと申し上げているのである。なのに「そういう話はするな」と言われる。それよりは原発再稼働とか五輪万博招致とかリニア新幹線とかカジノとか、そういう「景気のいい話」をしろ、と。

そういう話をしたい人はすればいいと思う。でも、そういうのが全部失敗した後の「プランB」について私が考えても誰の迷惑にもなるまい。だが、日本人は「今のプランAが失敗した場合のプランBを用意する」ことを「敗北主義」と呼ぶ。そして「敗北主義が敗北を呼び込む。景気の悪い話をする人間が景気を悪くするのだ。この後日本が経済成長しなかったら、それはお前の責任だ」とまで言う。なるほど、悲観的になると思考能力が低下するという真理は夫子ご自身のそのご発言からあからさまに知れるのである。

ビンボくさい日本のカジノ

カジノ法案がもうすぐ採択されそうである（編集部注：2018年6月、カジノ法案は強行採決された）。賛成派は観光客の増加、雇用の増大などの経済効果を語り、反対派は依存症対策の遅れや治安悪化の不安を語っている。とりあえず、カジノ誘致が決まれば、地元のゼネコンは当座の大きな仕事が発生するし、関連する業界もすぐに日銭が入ってくるので大歓迎だろう。依存症患者が出てきて社会問題になるにしても、治安が悪化するにしても、何年か先の話だ。「目先の銭金」と「先行きの懸念」ではためらわず「先のことは考えずに、目先の銭金を取る」というのが当今の官民挙げての風儀である。衆寡敵せず、カジノは反対派を蹴散らしてめでたく建設されることになるだろう。

けれども、それでもいくつもの疑問には答えがないままである。第一の懸念材料は人々が期待するほどカジノは儲からないのではないかというカジノ専門家たちからの意見である。

カジノはすでに世界的に競争が激化しており、なんとか帳尻が合っているのはラスベガスとシンガポールくらいだという。ニュージャージー州アトランティックシティは米国東海岸最大の賭博都市であるが、カジノの収益はここ10年減少し続け、2014年には、2006年当時の2分の1にまで減益し、4つのホテルが閉鎖、12あったカジノのうち5つが閉鎖という。気になるのは、アトランティックシティではカジノの衰退に先んじて街そのものがさびれたことである。カジノ客を当て込んだが、街は早々と「シャッター商店街化」した。それも当然で、「博打を打ちに来る客をいかにしてカジノホテルの外に出さないか」こそがカジノ商売の骨法だからである。

この客をカジノホテルの外に出さないためのサービスのことを「コンプサービス」という。カジノで金を使うと、ホテル宿泊料やレストランでの飲食やショーの入場料が無料になったり割引になったりするサービスのことである。上客たちはＶＩＰラウンジに招じ入れられ、チェックインカウンターやレストランでの優先待遇を受ける。客たちはそのサービスの質を基準にカジノを選ぶ。

今回の法案審議の過程で、「日本のカジノはどのようなコンプサービスで他国のカジノに勝てるのか」といった話題を私は一度も聞いた覚えがない。聞いたのはカジノの入場料が6000円なのは高いとか、地下鉄を延伸するとかいう話だけである。1000円札を握りしめて、地下鉄でカジノに来るような客を主たるクライアントに想定しているのだとしたら、申し訳ないが、それはカジノではなく「大きなパチンコ屋」である。そんな「ビンボくさいカジノ」には外洋クルーザーや自家用ジェットで乗り付けて、一晩に何億も使う上客が来るはずがないと私は思うが、そういう懸念は賛成派の方々の脳裏には去来しなかったらしい。

あまり口にされないもう一つの懸念は、昔から「賭場の仕切りをするのは博徒」というルールがあることである。ラスベガスを創ったのはマフィアの幹部であった〝バグジー〟と呼ばれたベンジャミン・シーゲルである（映画「ゴッドファーザー」でマイケルの差し向けた刺客によって眼を撃ち抜かれたモー・グリーンのモデル）。今のラスベガスはマフィアの直接支配から離れて、合法ビジネスになっているが、大戦中に砂漠の真ん中に蜃気楼（しんきろう）のような賭博都市をつくり上げたのがニューヨーク・マフィアであるという歴史的事実は忘れてはならない。

大阪のカジノはラスベガスのカジノ会社が仕切るらしい。アメリカの侵攻に対して地元の「本職」の方々はどう対応するつもりなのであろうか。山口組の分裂・弱体化とカジノ構想の進捗の間には何らかの関係があるのだろうか。その辺のことについてはどんなメディアも一行も報じてくれない。

水は誰のものか

2018年7月、「水道の民営化」を含む水道法改正案はほとんど議論がなされぬまま衆院で可決して、参院へ送付された。「水道管の老朽化対策」を前面に掲げているが、ほんとうの狙いは水道事業の民間への移管である。

麻生太郎財務相は水道事業を「全て民営化する」と過去に発言しており、竹中平蔵パソナ会長も社会的インフラの運営権をグローバル企業に売却することを財政再建の秘策として主張している。

「水メジャー」と呼ばれるグローバル企業が存在する。フランスのヴェオリアは第2帝政期に創業した水道事業の老舗であるが、M&Aを繰り返し、今や廃棄物処理、公共交通、テレビ、携帯、出版、映画製作などの事業を展開するグローバル企業となった。ヴェオリアはすでに日本に進出しており、いくつかの自治体の水道周辺の事業に関与している。その事業拡大を支援しようというのが今回の法整備の目的である。

水や大気のような「それなしでは人間が集団的に生きてゆけないもの」は「社会的共通資本」と呼ばれる。自然環境（大気、水、森林、河川、海洋など）、社会的インフラストラクチャー（道路、交通機関、上下水道、電力・ガスなど）、制度資本（教育、医療、金融、司法、行政など）がそれに当たる。社会的共通資本は専門家が専門的知見に基づいて管理運営すべきであって、「決して国家の統治機構の一部として官僚的に管理されたり、また利潤追求の対象として市場的な条件によって左右されてはならない」と宇沢弘文は書いている（『社会的共通資本』岩波新書、２０００年、５頁）。

官僚機構は歴史的条件で変わる。市場の条件は景況や株価の高下で変わる。そこは北京で蝶がひとつはばたきをしただけでカリフォルニアに嵐が起きるような、わずかな入力差が劇的な出力差を生み出す複雑系である。宇沢が言っているのは、社会的共通資本は複雑系に委ねてはならないということである。「人間がそれなしでは生きてゆけないもの」は、革命が起ころうと、恐慌になろうと、つねに変わらぬ技術的精密さをもって安定的に管理運営されねばならないということである。

上下水道事業は社会的共通資本の核心である。人間は水なしでは生きてゆけない。

だから、水はできる限り衛生的なものを、できる限り安価で（できれば無償で）供給されることが望ましい。だから、それは営利企業にはまったく適さない仕事である。

水道民営化の失敗例として有名なのは1999年のボリビアの暴動である。財政危機に陥ったボリビアは、世界銀行から債務軽減や開発援助を受ける代わりに、水道事業民営化を指示された。このとき、コチャバンバ市の水道事業に参入したアメリカの「水メジャー」は井戸や、かんがい施設、雨水の貯水に至るまでのすべての水資源を管理下に置いて課金した。水道料金はたちまち貧しい家庭には支払い不能な金額に達し、住民たちは水を求めてデモを起こし、多くの死傷者を出した後、民営化は1年で廃止された。

ボリビアほどではないが、民営化による弊害（水道料金の高騰、設備の老朽化、異物混入による水質の劣化など）は各国から報告されている。そして、アメリカ、フランス、ドイツ、オーストラリアで、いったん民営化された水道事業が再国営化された。水道の民営化は国民の福利に資するところがない。商品の価格をできるだけ引き上げ、水道管のメンテナンスや水質の向上のためのコストを最小化しようと努力することは営利事業にとって当たり前のことだ。それを「やめろ」というのは企業に対して気の毒だと私は思う。営利企業の経営者に例外的な無欲さや公徳心を要求すべきではない。それよりは社会的共通資本の管理には彼らを関与させないことの方がずっと常識的である。

崩壊へのタイムリミット

もはや時間との闘い

２０１７年のある日、奈良の山奥の集落で、都会から移住してきた若者たちと話し合う機会があった。

都市住民の地方移住は３・11以来途絶えることなく続いているが、メディアはこれを特に重要なことだとは考えていないらしく、ほとんど報道されることがない。総務省も国土交通省も農林水産省も、この動きには特段の関心を示していない。そもそも今のところ、地方移住については公式の統計さえ存在しない。

２０１５年末に毎日新聞がＮＨＫと明治大学の研究室と共同調査を行い、２０１４

年度に地方自治体の移住支援策を利用するなどして地方に移住した人が1万1735人であることを報じた。それによると、2009年度から5年間で地方移住者は4倍以上に増えたという。ただし、これは自治体の移住支援を受けた移住者だけの数であり、行政の支援を受けずに移住した人たちやアンケート未回答の自治体については移住の実態は明らかにされないままである。

私はメディアと政府のこの無関心にむしろ興味をそそられる。過疎化・高齢化による「地方消滅」という危機的事態の切迫を考えると、若者の地方移住をどうやって支援するかということは国家的な急務だと私には思われるからである。だが、そのような熱意を政府やメディアから感じとることはない。なぜか。

そのときのトークセッションのテーマは「10年後の地方移住」というものであった。集まってきた人たち（若者ばかりではない）はそれぞれの仕方で地方移住を果たした人たちである。住民たちと親しくなり、高齢の農業従事者からは「地域の農業文化を絶やす事なく継承して欲しい」と頼られるようになり、それなりに質の高い生活を営めるようになった。あと数年は「こんな感じ」で暮らしていけるだろう。けれども、今のような生活がこの先10年後も20年後も維持できるのか。それについて意見を聴きたいと言われた。

私の見通しは明るいものではない。だから、こんなふうな話をした。

今、みなさんが村落共同体のメンバーとして迎え入れられたのは、限界集落化という地方の窮状ゆえである。かつての村落共同体は、都市からやってくる「ニューカマー」たちに対してそれほど宥和的ではなかった。村の閉鎖性が解除されたのは、「このまま人が減り続ければ集落が消滅する」という危機感がリアルなものとなったからである。

だから、当然のことだが、移住者に対して最もフレンドリーなのが70代以上の高齢者で、それより年齢が若くなるほど移住者に対して距離感を持つということが起きる。同じことをいくつかの場所で聞いた。そうだろうと思う。

「まだ時間がある」と思えば、見ず知らずの部外者の助力を求めるまでもなく、自力で何とかしようと考える。「もう時間が残されていない」と感じる人は「藁をもつかみ」、「猫の手」も借りたいと思う。

閉鎖的な村落共同体の扉が緩んだのは高齢者たちが抱くこの危機感ゆえである。

だが、このような状態は長くは続かない。タイムリミットがある。

集落は風前の灯火

先日、私がある席で隣り合わせた岐阜県の人は、故郷の村はいま200戸あるが、子どもたちが引き続き村に住むと言っているのは2戸だけだと悲しげに語っていた。おそらくあと20年もすれば彼の故郷は無住の地になるだろう。

まだ集落としての体をなしているうちは移住者の受け入れもできる。だが、ある時点で、受け入れる主体そのものが消えてしまう。だから、地方移住はある意味で時間との競争なのである。このまま高齢化・少子化が進めば、20年後には「地方移住希望者をぜひ受け入れたい」と切望する集落そのものがなくなってしまう。諸君は「村落共同体の扉が一時的に開き、たぶん永遠に閉じる前の、ごく限られた時間帯」に地方移住を果たしたのである。そういう話をした。

気を付けなければいけないのは、地方の人口はなだらかな曲線を描いて減るのではなく、ある時点で一気に垂直に下降してゼロに近づくということである。先にあげた「200戸の集落が2戸になる」ケースを考えてみればわかる。

2戸だけしか住人がいない集落にはもうバスも通らないし、学校もないし、病院もないし、警察もないし、消防署もない。住みたければ住んでもいい。「そういう生き方」を自己責任で続けたいという人を止めることはできない。だが、同じ地方自治体の他の地域の住民と同じクオリティーの住民サービスを行政に期待してはならない。そう告げられるだろう。住民が2戸だけの集落にバスを通したり、ライフラインを維持したりするコストを税金で分担することを、他の地域の住民は許すまい。

だが、家族の中に子どもがいる場合は学校が近くになければ困る。介護看護を要するものがいる場合には病院が近くになければ困る。だから、人口減によって行政サービスが劣化した地域の人々は、生業を捨てて、「地方都市」へ移住することを余儀なくされる。

「コンパクトシティ」構想という国交省のプランは、この「里山から地方都市へ」という人口移動を利用しようとするものだと私は考えている。たしかに、里山の住人たちを地方都市に呼び集めれば、一時的に地方都市は人口を回復し、消費活動も活発になるだろう。

だが、それも一時的なものに終わる。そもそも里山の人口減は高齢化によるものである。高齢者を地方都市へ集めれば、地方都市が高齢化するだけの話である。彼らは年金や貯金の取り崩しによって、しばらくの間はいくばくかの消費活動を行い、介護など高齢者対象の雇用を創出するだろう。だが、里山で営んでいた生業を継続することはもうできないし、新たに起業することも期待できない。

「経済成長」という呪文

そして、何年か経って、消費活動に特化したこの高齢者層が「退場」したあと、「コンパクトシティ」はかつての里山と同じステータスになる。住民たちは「採算が取れない」という理由で、それまで享受していた交通や通信や上下水道や医療や教育や防災や治安のサービスを打ち切られる。「採算が合わない行政サービスは廃止すべきだ」というロジックをかつて一度受け入れてコンパクトシティに移住した以上、二度目も、同じロジックを受け入れ続けるしかない。かつて里山からコンパクトシティへ移住したように、今度は次の「もう少し大きい地方都市」への移住が促される。だが、当然いずれそこも人口減になる。今度は「首都圏」への移住が促されるだろう。そして、最終的に首都圏に列島の人口の大部分が集まり、その外には「無住の荒野」が広がる。「採算が合う合わない」ということを唯一の物差しにして、公共サービスの打ち切り・縮小を続けていれば、100年後の日本はいたるところ「そういう光景」になる。厚生労働省の中位推計によれば、2100年の日本の人口は4959万人。今から8000万人ほど減って、日露戦争の頃の人口にまで縮減するのである。

その5000万人ほどが明治時代の日本のように列島各地に広く分布し、その頃のような穏やかな風景を取り戻すことになるのか、あるいは今私が描いたようなディストピア的風景になるのか、それはまだわからない。だが、経済産業省や国交省が描いている未来社会は「ディストピア」の方である。

前代未聞の人口減局面に立ち至って、まだ「経済成長」というようなことを言っている人たちなのだから、これからも「選択と集中」を呪文のように唱え続けるだろう。五輪や万博を招致し、カジノやアミューズメントパークを作り、リニア新幹線のような不要不急の土木事業に巨額の国富を投じ、「一発大当たりしたセクターからのトリクルダウン」を約束して、国民には増税や低賃金や私権の制限を求める。

私は個人的にこれらの政策を「日本のシンガポール化」と呼んでいるが、政官財が日本の「明日の姿」として合意しているのはその方向と断じて間違いない。

シンガポールはご存じの通り、国是が「経済成長」であり、すべての社会制度は経済成長に資するか否かを基準に適否が決定される。だから、建国以来事実上の一党独裁であり、治安維持法によって令状なしで逮捕拘禁ができ、反政府的メディアも反政府的な労働運動も市民運動も学生運動も存在しない「世界で一番ビジネスがしやすい国」である。

然(しか)るべき筋に話を通じて、権力者によって「身内」認定されれば、面倒な手続きも審査も「岩盤規制」もなしに利益の多いビジネスが始められる環境のことをもし「ビジネスがしやすい国」と呼ぶのだとすると、シンガポールはまさにそうである。本邦におけるその先駆的形態は森友学園・加計学園問題に見て取れる。

地方移住は〝未来の解〟の一つ

地方移住する若者たちになぜメディアも行政も関心を示さないのか、なぜ里山をもう一度豊かな故郷に蘇生させようとする彼らの願いに対して国を挙げての支援体制を整えようとしないのか、その理由は以上の説明でだいたいご理解頂けただろうと思う。

地方移住者たちは直感的にそういう生き方を選んだ。それは経済成長が止まった社会において、なお「選択と集中」という投機的な経済活動にある限りの国富を投じようとする人たちに対抗して、まだ豊かに残っている日本の国民資源、温帯モンスーンの豊饒な自然、美しい山河、農林水産の伝統文化、地域に根付いた芸能や祭祀(さいし)を守ろうとする人たちが選んだ生き方である。

2017年6月号の「フォーリン・アフェアーズ・リポート」では、モルガン・スタンレーのチーフ・グローバルストラテジストという肩書のエコノミストが、経済成長の時代は終わったという「経済の新しい現実を認識している指導者はほとんどない」ことを嘆いていた。経済目標を下方修正しなければならないにもかかわらず、政治家たちは相変わらず「非現実的な経済成長を目標に設定し続け」ている。

中でも質(たち)の悪い指導者たちは「人々の関心を経済問題から引き離そうと、外国人をスケープゴートにしたり、軍事的冒険主義に打って出たりすることでナショナリズムを煽っている」(「フォーリン・アフェアーズ・リポート」2017年6月号、フォーリン・アフェアーズ・ジャパン、21～22頁)。

まるで日本のことを書かれているような気がしたが、世界中どこでも政治指導者たちの知性の不調は似たり寄ったりのようである。

だが、このエコノミストのような認識が遠からず「世界の常識」になるだろうと私は思っている。今求められているのは、この後はじまる「定常経済の時代」において世界標準となりうるような「オルタナティヴ」を提示することである。若者たちの地方移住はその「オルタナティヴ」のひとつの実践である。

海外メディアがこの動きを「超高齢化・超少子化日本の見出した一つの解」として興味をもって報道する日が来るのはそれほど遠いことではないと私は思っている。

大阪万博という幻想

誰が開催を望んでいるのか

２０２５年の国際博覧会の開催都市がもうすぐ決まる。大阪の他に、アゼルバイジャンのバクー、ロシアのエカテリンブルクが立候補しており、聞くところでは、３都市の競争は「横一線」だそうである（編集部注：２０１８年11月23日、日本は共生と健全性をビデオや経済産業相のスピーチ等を通じてプレゼンテーションし、ロシアやアゼルバイジャンを抑えて票を獲得、正式に大阪に決定した）。

大阪府知事、大阪市長は世界に向けてのＰＲ活動に熱心だが、国内では招致機運が盛り上がらない。間近に迫った２０２０年の東京五輪に対してさえ市民の間に熱い待望の気持ちは感じられないのだから、そのさらに5年後では気合が入らないのも当然だろう。

五輪にしても万博にしても、半世紀前の1964年の東京五輪、1970年の大阪万博のときの国民的な高揚感とそれにドライブされた劇的な社会改造を記憶している世代から見ると、今の日本の冷え方はまるで別の国のようである。

今回の万博に国民的関心が高まらない最大の理由は、にべもない言い方をすれば、大阪で万博を開く必然性がないからである。

公式サイトにはこんなことが書いてある。

「万博」は世界中からたくさんの人やモノが集まるイベントで、1970年に日本、そしてアジアで最初に開催された大阪万博（EXPO'70）は日本の高度経済成長をシンボライズする一大イベントとなりました。

「万博」では新しい技術や商品が生まれ生活が便利になる「きっかけ」となります。

エレベーター（1853年、ニューヨーク万博）

電話（1876年、フィラデルフィア万博）

ファミリーレストラン、ワイヤレステレフォン、電気自動車、動く歩道（1970年、大阪万博）

ICチップ入り入場券、AED、ドライミスト（2005年、愛知万博）

2025年大阪・関西万博で実現すること

①最先端技術など世界の英知が結集し新たなアイデアを創造発信
②国内外から投資拡大
③交流活性化によるイノベーション創出
④地域経済の活性化や中小企業の活性化
⑤豊かな日本文化の発信のチャンス

コピーだから仕方がないが、日本語として文の体をなしていない。単語を羅列しただけだ。

万博のメインテーマは「いのち輝く未来社会のデザイン」、サブテーマは「多様で心身ともに健康な生き方／持続可能な社会・経済システム」［2018年］だそうであるが、これも単語の羅列であることに変わりはない。

公式サイトのこの文章を読んで「わくわくした」という人は、たぶん推進派の中にもいないだろう。

「『万博』は世界中からたくさんの人やモノが集まるイベントで」という書き出しの一文だけで私は脱力して、先を読む意欲を殺がれた。

中学生の作文じゃないんだから、他に書きようはないのか。

経済波及効果の眉ツバ

大阪で昔万博がありました、これまでいろいろな新技術が紹介されてきました。今回のテーマは「いのち輝く未来社会のデザイン」です。そう聞かされても、こちらとしては「ああ、そうですか」以外に感想がない。

「ああ、そうですか」しか出てこないのは、これらの言葉の中の一つにも、この文章を書いた人間の生き生きした身体実感の裏付けがないからである。書いている人間がわくわくしていないのに、読む方がわくわくするわけがない。申し訳ないが、ここに書かれていることは「空語」である。

「こんな感じのキーワードを適当に散らばしておけば、それらしい文言になるだろう」という書き手自身の病的なやる気のなさが行間からにじみ出てくるような文章である。

そもそも、過去の万博でのエポックメーキングな事例を列挙する中に、英ロンドン万博の水晶宮も、仏パリ万博のエッフェル塔も、〈アール・ヌーヴォー〉も、リュミエール兄弟のシネマトグラフも、米シカゴ万博の大観覧車も言及されないとはどういうわけだろう。「万博」と言ったら、まず「それ」だろう。

たぶん、そういう華やかな先例と比べられると大阪万博の企画の貧しさが際立つから、「それ」には触れるなという指示があったのだろう（コピーライターが忖度して自粛したのかも知れないが）。どちらにしても哀しいほど安っぽいコピーである。挙げるに事欠いて、日本開催の万博で出したファミレスやドライミストを万博史上に残る新技術だと言い募るところに、計画主体の自信のなさが漏出している。

大阪万博の招致の最大にしてほぼ唯一の目的は地域への経済波及効果である。国の試算で１兆９０００億円、大阪府の試算は２兆３０００億円。万博に合わせたイベント開催や観光客の増大などの間接的な誘発効果は大阪府の試算で４兆１０００億円。

まとめて6兆4000億円の経済効果がもたらされると言われている。

しかし、こんな「取らぬ狸の皮算用」にぬか喜びしてよろしいのであろうか。

思い出して欲しい。万博計画が最初に持ち上がったのは2014年のことである。言い出したのは、大阪府・市特別顧問であった堺屋太一氏である。これを受けて橋下徹大阪市長が万博の大阪招致に前向きな意向を示した。松井一郎・大阪府知事も「東京五輪も2度目。大阪万博も2度目といきたい」とこれを支持した。

堺屋・橋下・松井という面々は大型プロジェクトで経済波及効果がざくざくという話がお好きである。しかし、同じような話を何度もされて大阪の府市民は「またかよ」とは思わないのだろうか。「道頓堀プール」のことをお忘れなのだろうか。

2015年の道頓堀完成400周年に合わせて、長さ2キロのプールを整備し、「世界遠泳大会」を開催すると大阪府・市特別顧問の堺屋氏が言い出したのは2012年のことである。これは彼の発案になる「大阪10大名物」の一つであった。

「10大名物」。ほかに大阪城公園と天満公園を結ぶ大歩道橋、御堂筋のデザインストリート化、面積1万平方メートルの「ヘクタール・ヴィジョン」、驚愕展望台、空中カフェ、空中緑地など盛りだくさんだったけれど、いくつご記憶だろうか。

その「10大名物」中の目玉だった道頓堀プールは最初から技術的な難問に悩まされ、当てにしていた地元企業からの経済的な支援もなく、当初の2キロが800メートルに、最後には80メートルにまで縮減されたが、結局2015年に計画放棄された。

道頓堀プールの経済効果について、堺屋氏は2013年には「2020年までには東京オリンピックより大きな経済効果が確実に出る」と自信たっぷりに語っていたのであった。

市民は盛り上がっていない

五輪以上の経済波及効果をもたらすはずの事業が80メートルプールを作るだけの事業資金が集められずに破綻したことについては当事者たちにはいろいろと言い訳はあると思う。

おそらくさまざまな想定外のファクターのせいで、計画そのものには瑕疵(かし)がなかったのだが、うまくゆかなかったのだろう。いや、そうだろうと思う。よくあることだ、私は自分にそれを責める資格があるとは思わない。

けれども、このプロジェクトにかかわった人たちが「技術的な難点や管理上の難点や資金調達上の難点などをほぼ組織的に勘定に入れ忘れる人々」だったという事実だけは私は記憶にとどめておくし、みなさんもそうされた方がよいと思う。

経験的に言って、そのような人々が真摯（しんし）な反省や自己批判を行うことなく「次の大型プロジェクト」を提案してきた場合には、「眉に唾をつけて話を聞く」のが世の常識である。

口には出さないけれど、大阪の人たちの多くもそう考えているのだと思う。

万博招致計画発表のすぐ後、２０１５年6月から7月に大阪府が実施した府内企業に対するアンケートによると、「将来、大阪で国際博覧会が開催された場合、参加したいですか」との質問に対する回答は、「わからない」が46％で最も多く、「どちらかといえば関心がない」が9％、「参加しない」は25％だった。

一方、「参加したい」は12％、「どちらかといえば参加したい」は6％にとどまった。

それから3年経って、ＮＨＫが２０１８年3月に大阪府の18歳以上の男女に行ったアンケートでは、誘致に「賛成」が45・7％、反対が10・6％、「どちらともいえない」が39・1％だった。

アンケートの対象が一方は企業、一方は住民だから、そのまま単純に比較することはできないが、いずれにせよこの数値から「市民たちは万博招致で盛り上がっている」という解釈が成り立たないことは確かである。

NHKのアンケートによると、誘致に賛成した人の賛成理由49・5％は「地域経済の活性化につながるから」、32・5％が「地域が盛り上がるから」である。

つまり、誘致賛成者の82％はあくまで「盛り上がり」に期待しているわけであって、自分で主体的に万博を「盛り上げたい」と言っているわけではない。「自分が余沢にあずかれるかも知れないから万博招致に賛成」なのである。

3年前「2015年」にも、「年間100万人の来場者があって、五輪以上の経済効果がある」というので「道頓堀プール」の計画に賛成した人はたくさんいた。

でも、そのために自分の財布から事業資金を提供した人はきわめて少なかった。「トリクルダウン」を期待する人は事業のために身銭を切ってくれる人ではない。「余沢に浴したいので事業に賛成」という人がどれほどいても、それだけでは事業はスタートアップしないし、事業の成功も保証されない。

現に、2016年に松井知事と吉村洋文大阪市長が、関西経済3団体のトップとの意見交換会を実施したときにも、万博構想について、大阪商工会議所の尾崎裕会頭のコメントは「反対はしていない」「ほんとうに大阪や関西の経済活性化につながるなら、経済界としては協力していきたい」というずいぶん冷ややかなものにとどまった。

前のめりのドバイに既視感

はっきり言えば、元が取れるなら出資してもいいが、投資効果が見込めないならできればコミットしたくないということである。当然の発言だと思う。大阪万博誘致の目標は最初から「経済効果」なのだから、ビジネスマンが「われわれは経済効果にしか興味がない。国際社会に向けて特に発信したいメッセージもないし、『いのち輝く未来社会のデザイン』についても特にご提案したいこともない」と言ってきても、文句を言える筋合いではない。

国際博覧会は会場面積や会期にばらつきはあるが、ほぼ隔年で開催されている。21世紀に入ってからの開催都市は、ハールレマミーア（オランダ）、ロストック（ドイツ）、愛知（日本）、チェンマイ（タイ）、サラゴサ（スペイン）、上海（中国）、麗水（韓国）、フェンロー（オランダ）、ミラノ（イタリア）、アスタナ（カザフスタン）である。そのうちメディアが詳細に報道したのは、参加国が万博史上最多、敷地面積最大だった上海万博（2010年）くらいで、あとは記憶にないという方が多いだろうと思う（私もほとんど知らない）。

2017年の万博の開催地を訊かれて「カザフスタン」と正解できる日本人はきわめて少ないはずである。だが、カザフスタンのアスタナは「一帯一路」プロジェクトの要路にあり、今世界中の投資家が注目している都市である。

今回の誘致合戦で大阪と競合しているバクーは「第二のドバイ」として世界最高のタワーや人工島の建設で賑わっている。参考までに言えば、2020年の万博開催地は中東の金融センター、ドバイである。

そのような勢いのある都市が万博に手を挙げてくる。それはそれらの都市の人々が自分たちの街から今「何か新しいもの」が生まれつつあるという手応えを感じているからである。だから、それを世界に向けてアピールしたいのである。「私たちの街を見に来てくれ。きっと肝をつぶすぞ」と思って、気分が前のめりになっているのである。

たしかに1970年の大阪にはそのような勢いがあった。21世紀の上海やアスタナやドバイに匹敵するような野性的な生命力が当時の大阪には漲っていた。それはリアルタイムでその時代を生きていた人間にはよくわかる。そういう街でかつて万博が開かれたことを私はなつかしく回想する。

けれども、同じことが同じ場所でもう一度起こるだろうという予測には与することができない。

編集部注：アラブ首長国連邦のドバイで2020年10月20日から開催予定だった国際博覧会は、新型コロナウイルス感染症の世界的流行の影響で、2021年10月1日からの開催に延期された。

１９６０年代は一億総思い込みで上昇した

「祇園精舎の鐘の声　諸行無常の響きあり」と中学生の頃に習ったときには、それは遠い昔の話であって、「盛者必衰の理」をまさか我が身で体験することになるとは思っていなかった。

私が中学生だった１９６０年代中頃の日本は今よりはるかに貧しかったけれど、国が上昇気流に乗っていることは子どもにも体感としてわかった。国運は１９４５年の敗戦で底を打ったので、もうそれより下には下がりようがなかったのである。１９６２年のキューバ危機を回避した後は第３次世界大戦のリスクもすこしだけ遠のいた。当分は核ミサイルで国土が消失することは心配しなくてもよくなった。

でも、この「あとは上向き」という（実は根拠のない）思い込みによって、日本の国運の上昇は実際に加速していったように私には思われる。人というものは「これから運気が上向きになる」と信じ込んでいると、守りに入っているときには尻込みしてとても選択できないような冒険的な計画にもけっこう気楽に踏み込んでしまうものだからだ。勢いのあるときは変数が増えて、話が複雑になることもあまり気にならない。

「そのうちなんとかなるだろう」というのは植木等が歌った「だまって俺について来い」の歌詞（作詞・青島幸男）だが、これが主題歌だった映画が公開された1964年の時代の気分を一言で言えば、それはたしかに「銭のないやつ」も「彼女のないやつ」も「仕事のないやつ」も「だまって俺について」くれば、「そのうちなんとかなるだろう」という無根拠な楽天性だった。そして、実際に、そういう朗らかな気分でいるうちに、いろいろな問題は何とかなってしまったのである。

「そのうちなんとかなるだろう」というのは思えば私たちの世代の人間の多くが難局に遭遇するごとに心の中で呟いたフレーズだった。それくらいにはこの時代の「成功体験」はわれわれの身にしみついていたのである。

国運が落ち目になるというのは、ＧＤＰがどうだとか、出生率がどうだとか、平均賃金がどうだとかいう数字の話ではない。「時代の気分」の問題である。時代の気分が醸成されるには無数の原因がある。人口減や高齢化といった人口動態学的な変化も一因だし、「失われた20年」と呼ばれるバブル崩壊以後の経済的停滞も一因だし、グローバル化も、立憲デモクラシーという政治システムの制度疲労も一因だろう。とにかく、無数の理由によって、ある時点から日本人は「そのうちなんとかなるだろう」と思えなくなった。むしろ、「時間が経てば経つほどさらにどうにもならなくなる」ような気がするようになった。だから、先のことを考えず、とりあえず目先の小銭を懐にねじ込むことをすべてに優先させるようになった。「銭のないやつ」や「仕事のないやつ」は自己責任でそうなっているのだから、そんなやつらのことは知るものかという考え方を人々がごく自然にするようになった。一言で言うと「貧乏くさくなった」ということである。

「貧乏くさい」は「貧乏」とは違う。1960年代の日本は「貧乏」だったけれど、「貧乏くさく」はなかった。「銭のないやつは俺んとこへ来い」という雅量があった。

今の日本はそのときよりはるかに金持ちである。依然として日本は世界第3位の経済大国であり、企業は史上空前の利益を計上している（らしい）。でも、富裕層たちはしかと銭を抱え込んで、貧者に分け与える気がない。彼らも「これからもっと悪くなる」と思っているからである。「そのうち」なんかたぶん来ないと思っているからである。

東京五輪のために「サマータイム導入」の愚

打ち水で熱中症予防？

東京五輪組織委員会が「酷暑」問題で追い詰められて、迷走している。

開催は２０２０年の7月24日から8月9日までの17日間。今年〔２０１８年〕の同時期の東京の暑さは尋常なものではなかった。23区内の熱中症による死者数は１６４人に達した〔２０１８年6～9月の確定値〕。この時期に炎天下で運動競技を行うことがアスリートの健康によいはずがないことは誰にもわかる。

最も心配されるのがマラソンで、朝7時スタートを予定していたが、今年はその時間ですでに30度を超す日があった。

五輪期間中の暑さ対策としてこれまで提案されたのは「打ち水、浴衣、よしずの活用」とか「首に濡れタオル」とか、マラソンのコース沿いの店舗やビルの1階部分を開放して、中の冷気を道路に放出するという「クールシェア」とか、どう考えても本気とは思えないものばかりである。

進退窮まった組織委員会が提案してきたのが2年間限定の夏時間（サマータイム）の導入である。

一競技のために、日本中の人間を巻き込むようなシステムの変換を行うというのはいくら何でも本末転倒であると思うが、驚くべきことに、発表直後のＮＨＫの世論調査では、夏時間の導入に「賛成」が51％、「反対」が12％と、世論は賛成が多数となった。

おそらく、賛成者のほとんどは夏時間の導入というのが、ただ時計を2時間進めるだけのことだと思い、その程度の手間でアスリートたちが気分よく競技してくれるなら、お安いものだと思ったのだろう。心根のやさしい人たちである。

だが、夏時間の導入というのは、そんな気楽な話ではない。

夏時間の導入は不可能と断定している立命館大学の上原哲太郎教授によると、「政府や自治体、医療、交通運輸、金融のシステムから、家庭のテレビやエアコンまで、『時間』を基準に動作しているシステム」に私たちの生活は律されており、重要なインフラの修正だけでも4、5年は必要だと言う。

当然、システム変換を請け負うIT企業の労働者には大量のタスクが集中的に課されることになる。人件費コストも桁外れのものになろうが、そもそもそれだけの人的リソースが調達できるかどうか。

「2000年問題」の再来必至

アメリカでもヨーロッパでも、夏時間は実施されているが、そのような社会的混乱については聞いたことがないと言う人もいるだろう。でも、それは当然で、欧米では早くから夏時間制が導入されている（導入はドイツが世界で一番早くて1916年）。だから、それ以後に作られたものは家電製品もIT機器も夏時間切り替えを標準仕様にして製造されている。

だが、日本製の機械はそんな仕様になっていない。だから、重要なインフラのことは脇に置いて、電波時計、テレビ、カーナビなど「時間」を基準に作動するすべてのメカニズムは夏時間への切り替え時点で不具合を生じるリスクがある。

かつての「２０００年問題」と同じで、蓋を開けてみたら、何も起こらないかもしれない。でも「何も起こらないかもしれない」を含めて「何が起こるかわからない」のである。夏時間で作動に影響が出る「かもしれない」機器の製造企業のコールセンターやサービスカウンターには消費者からの「どうしたらいいんですか？」という問い合わせと、「うまく作動しません」という調整修理の依頼が殺到するだろう。

夏時間さえなければ決して生じることのないこのコストは結果的にそれらの機器のメーカーが製造する商品の価格に上乗せされて、消費者が負担することになる。

「夏時間、いいんじゃないの」と気楽に世論調査に回答された市民たちは、こういったリスクやコストについてはたぶん何も考えずに「賛成」に一票を投じたのだと思う。だから、今からでも遅くはない。止めた方がいい。

さいわい、まだ実施が決定したわけではない。五輪の一競技のために莫大な損害を発生させるべきではない。マラソンであれ何であれ、炎熱の時間帯を避けて、できるだけ涼しい時間帯に競技ができるようにプログラムを組めば、それで済むことである。

アメリカのテレビの放送時間が……というようなことを言う人がいるが、アメリカのテレビ視聴者ができるだけ気楽にカウチでテレビを見られるように日本社会全体は夏時間コストを負担すべきだし、五輪に参加するアスリートは身体的苦痛を甘受すべきだと本気で考えているのだとしたら、それは底の抜けた博愛主義でなければ、骨の髄まで奴隷根性がしみこんでしまった属国民マインドのなせるわざだろう。

本場でも賛否分かれる夏時間

メディアがさみだれ式に報道し始めたように、欧米でも夏時間（英語ではdaylight saving timeとも言う）から離脱する動きは最近急速に広がっている。きっかけは「夏時間はエネルギーの節約に資する」というこれまでの定説が科学的研究によって覆されたことである。

ベンジャミン・フランクリンが1784年にパリを訪れたときに、まだ日が高いうちからパリジャンたちが窓のカーテンを下ろして就寝しているのを見て、「ろうそく代がもったいない」と思ったのが夏時間の始まりだと言われている。

冷房が存在しない時代なら、ろうそく代の節約はそのままエネルギー消費量の節約だったが、今となってはそうはゆかない。

アメリカ政府が行った研究でも、夏時間がエネルギー消費を節約したということは証明できず、逆に、いくつかの研究グループは夏時間でエネルギー消費量は増加するという調査結果を発表した。

夏時間だと仕事上のミスが減り、交通事故が減るとも言われてきたが、これも統計的に無根拠であることがわかった。夏時間開始の翌日と終了の翌日は交通事故が8％増加していたのである。職場での事故、心臓発作も開始と終了の翌週には増大した。考えれば不思議はない。生活時間がいきなり1時間変わるのである。新しい時間に慣れるまで、心身に障害が出て当然である。

アメリカでは連邦政府が6つのタイムゾーンを管理しているが、州政府には夏時間を採用するかしないかの選択権がある。だから、アリゾナの大部分とハワイは「必要がない」という理由で、夏時間を採用していない。一方、フロリダとカリフォルニアは「一年中夏時間にする」法案を準備している。その方が経済活動が活性化するし、治安にも、メンタルヘルスにもよいということらしい。

ＥＵ28カ国［２０１８年］でも夏時間については賛否が割れている。フィンランドでは夏時間廃止の署名運動が始まった。ＥＵ加盟国ではないが、通年夏時間制を採用していたロシアは高緯度地の市民たちが「朝が暗いのはつらい」と言い出して、４年前［２０１４年］に制度を廃止した。

これまでの調査でわかった夏時間の明らかなメリットは、アメリカで、夏時間への切り替えの翌日は強盗に出会う確率が27％減ったということである。さしあたり科学的な手続きに基づいて証明された夏時間導入の利点はこれ一つだけだと「夏時間導入の根拠とされる5つの主張には科学的根拠がない」と題したアメリカのネットニュースは報じていた（「Forbes」Mar. 5, 2018）。

ドタバタは続くよ五輪まで

各国の事情を瞥見して私にわかったのは「夏時間を採用するとうまくゆくこともあり、うまくゆかないこともある。その差は主に緯度によって決まる」というなんだか拍子抜けのするような結論であった。でも、まことにその通りだと思う。

だから、夏時間を採用すると、「いいこと」がある土地の人は採用すればいいし、「あまりいいことがない」なら採用しなければいい。それだけのことである。採否を決めるのは、そこに住んでいる人であって、よその人間が口を出すことではない。

日本の場合は「あまりいいことがない」ことが知られている。戦後、夏時間はＧＨＱの命令で１９４８年から導入されたが、睡眠障害や残業増加などを引き起こして、きわめて不評であった。

そして、１９５１年にサンフランシスコ講和条約が締結されると同時に打ち切られた。主権回復と同時にまっさきに廃止された制度であるから、当時の日本人はよほどこれを嫌ったのだろう。

だから、森喜朗五輪組織委員会会長も、一度うっかり口にはしたけれど、その後いろいろ調べてみたら、夏時間導入には無理が多すぎるということが知れて、この記事が掲載される頃には、もう提案は撤回されていて「あの話はもうなかったことに」ということになっていて、もう誰も話題にしていないかも知れない（そうなっていることを願う）。

しかし、それにしても東京五輪をめぐる無数のドタバタはどこまで続くのであろう。

招致運動の中での猪瀬直樹都知事のイスラム差別発言から始まって、安倍首相の福島原発の「アンダー・コントロール」発言、ザハ・ハディドの国立競技場設計をめぐる騒動、五輪エンブレムデザインの盗用疑惑、木造の新国立競技場には聖火台がつくれないという大ポカについての責任のなすり合い、11万人ボランティアの「学徒動員」に対する世論の反発、メダルの材料の「金属供出」要請など、信じられないほどの手際の悪さの事例は枚挙に暇がない。だが、もっとも深刻なのは五輪招致の「買収疑惑」である。

国際陸上競技連盟（ＩＡＡＦ）の前会長で、ＩＯＣ委員のラミーヌ・ディアックとその息子は世界陸上と五輪を食い物にして私腹を肥やしてきた容疑で現在フランスとブラジルの司法当局に追われて逃亡中であるが、２人は東京五輪招致に深くかかわっている。

電通の仲介で、シンガポールのダミー企業に招致委員会から払い込まれた約2億3000万円が、ディアック息子の口座に転送されていたことを2016年5月に英紙「ガーディアン」が報じた。

ブラジルの司法当局は、この支払いがディアック父を介して票を買収し、２０２０

年東京五輪の招致を実現するためになされたと見ている。それが事実なら明らかな五輪憲章違反である。今後、フランス、ブラジルの捜査が進み、招致のためにＩＯＣ委員たちの票を買収した動かぬ証拠が揃ったら、規定上は開会式の前日であっても五輪は開催中止となる。

「そんなことは起きるはずがない」と組織委員会は思っているだろうが、それでも「もし万が一……」と想像すると、眠れない夜もあるだろう。気の毒だとは思うが、自業自得である。

スイスの図書館で見た端正な帝都

夏時間やボランティアの「学徒動員」はこれに比べたらまったくの些事(さじ)である。でも、大手メディアは些事についてはかろうじて報じるが、この「招致を金で買った」という重大な案件についてはぴたりと口を噤(つぐ)んでいる。

大手メディアそのものが東京五輪の協賛企業なのだから、せっかくの祭典に水を差すような報道は気乗りがしないという人情はわからないでもない。だが、それなら五輪が終わった後に露呈するであろう有形無形の莫大な「負の遺産（レガシー）」について報道するときには「どうしてこんなことが起きてしまったのでしょう。責任を問う声が高まっています」というようなしらばっくれた物言いだけは自制して欲しいと思う。

20年ほど前、ローザンヌで短いバカンスを過ごしたことがあった。そのとき、五輪博物館を訪れた。地下の人気のない図書室の書架にフランス語で書かれた「東京五輪計画書」を見つけた。手に取ったら、1940年の「幻の東京五輪」の計画書だった。1964年のものかと思って手に取ったら、1940年の「幻の東京五輪」の計画書だった。興味をひかれて、日が翳（かげ）るまで頁を繰り続けた。

添付されていた写真を見ると、空襲に遭う前の帝都の空は青く、市街は端正なおもだちをしていた。競技場も体育館もプールも「ありものの使い回し」という質素な感じがして、好感を持った。この五輪に参加するはずだった日本人アスリートの多くはその後戦死したのだろう。そして、彼らが誰も死なない「1940年に（日中戦争が終わって）東京オリンピックが開かれた日本」という多元宇宙的な空想にしばし耽（ふけ）った。

今から半世紀後に同じ図書室で「東京五輪2020年」のドキュメントを見つけた

日本人の旅客はそれをめぐったときにどのような感懐を抱くのだろう。私には想像もつかない。

編集部注：２０１８年９月27日、東京２０２０オリンピックに合わせた夏時間の導入は見送りとなった。２０２２年10月現在、ＥＵ（欧州連合）には27カ国が加盟している。ＥＵは２０１９年、「２０２１年に夏時間を廃止する」との法案を議会で可決した。しかし、新型コロナウイルス感染症の拡大の影響で、各国政府は廃止後の方向性の議論を進めることができず、２０２２年も夏時間は実施された。

第3章 ウチダ式教育再生論

教育まで「株式会社化」したこの国の悲劇

科学技術大国の座から転がり落ちた日本

先日〔2018年6月〕発表された科学技術白書がようやく「我が国の国際的な地位の趨勢は低下していると言わざるをえない」ことを認めた。

「引用回数の多い論文の国際比較で日本は10年前の4位から9位に転落した。論文数も減って2位から4位になったが、4倍に増えた中国はじめ主要国は軒並み増加している」(毎日新聞2018年6月14日付朝刊)

各国の政府の科学技術関係予算の伸び具合を2000年と比べると、中国が13・48倍(2016年)、韓国が5・1倍(同)、日本は1・15倍(2018年)。日本の博士課程への進学者はピークの2003年度を100とすると2016年度は83。海外派遣研究者の数も2000年度を100とすると2015年度で57にまで減った。注目度の高い研究分野への参画度合い（2014年）では、米国91％、英国63％、ドイツ55％に対し、日本は32％。科学研究の全分野で壊滅的な劣化が進行している。

しかし、白書は遅きに失した。日本の学術的発信力の低下が指摘され始めたのは2002年のことである。一国の科学研究のアクティヴィティの高さの最もわかりやすい指標である「人口当たり論文数」は2014年に世界37位（すなわち先進国中最低）をマークした。

高等教育機関への公的研究資金の投入と論文数生産は相関するが、日本はこの対GDP公的支出ランキングでここ数年、先進国最下位を定位置としてキープしている（一度ハンガリーに「負けた」が、翌年すぐにめでたく最下位に復帰した）。

日本の学術論文の80％は高等教育機関が生産しており、そのさらに60％は国公立大学が生産している。国公立大学からの論文生産の停滞が日本の学術研究の停滞を招いていることは久しく指摘され続けていた。特に2004年の独立行政法人化以後の国立大学の学術的生産力の劣化が顕著である。

先日、京都大学の山極壽一総長が「法人化は失敗だった」と断言して、話題を呼んだ。法人化以後、研究費と研究者数と研究時間が減らされているのだから、それで研究成果が上昇したら奇跡である。まことに愚かなことをしたものである。

国立大学の独立行政法人化は21世紀の初めごろから日本社会を覆い尽くした怒濤のような「株式会社化」趨勢の中で決定された。「株式会社化」というのは、「すべての社会制度の中で株式会社が最も効率的な組織であるので、あらゆる社会制度は株式会社に準拠して制度改革されねばならない」というどこから出てきたか知れない怪しげな「信憑」のことである。いかなる統計的エビデンスも実証データもないままに、その頃羽振りのよかった新自由主義者たちが教育・医療・行政……あらゆる分野で「改革」を断行せねばならじと獅子吼(ししく)したのである。

先の見えない若き研究者たち

彼らの考えた「株式会社化」はおおよそ次のような原理に基づいている。

1　トップに全権を集約して、トップが独断専行する（上意下達(じょういかたつ)）。

2　トップの下す経営判断の適否は、組織内の民主的討議によって「事前」に査定されるのではなく、マーケットに選好されるかどうかで「事後」に評価される(市場原理主義)。

3　組織のメンバーではトップの示すアジェンダに同意するものが選択的に重用され、トップの方針に非協力的なものは要路から排除される。公共的資源もこの「トップのお気に入り度」に基づいて傾斜配分される(イエスマンシップと縁故主義)。

上意下達・市場原理主義・イエスマンシップ・縁故主義……と並べると、「いまの日本の組織って、全部そうじゃないか……」と深く頷かれることと思うが、この4つが21世紀日本社会を覆い尽くした「株式会社化」運動の基本綱領である。

営利企業が株式会社という形態を選択することに別に異論はない。好きにされればよい。けれども、医療や教育や行政のような「社会的共通資本」を株式会社に準拠して改革されては困る。それらの制度は営利目的で設立されたものではないからである。「社会的共通資本」とは「それなしでは人間が集団として生きてゆくことのできない制度」のことであり、専門家によって、専門的知見に基づいて、定常的に管理運営されるべきものである。収益を上げたり、株主への配当金を増やしたり、あるいは特定の政治イデオロギーを宣布するために存在するわけではない。そのことをまったく理解していない人が少なくない（どころではない）。だから、同じことを何度も言わねばならない。

前に地方自治のありようを見て、「民間ではありえない」と言って罵倒した政治家がいた。彼が「民間ではありえない」と言ったのは、行政が「株式会社のように運営されていない」という意味である。まったくご指摘の通りである。

だが、少し考えればわかることだが、地方自治は決められた行政サービスを安定的・恒常的に供給するためにあるわけで、売り上げを増やしたり、存在しないニーズを創り出したり、納期に合わせて仕様を変えたりする必要がないし、何よりも政策の当否が「マーケット」の評価で事後的に決まるのを待つということをしない。

事前に熟議して、さまざまなリスクを全部書き出して、それぞれについて対策を講じておいて、その上で「まあ、これなら大丈夫」だという政策をそろそろと実施するのが地方自治であり、医療であれ、教育であれ、そういう制度を管理する上での要諦である。当たり前である。「止まってしまったら、それでおしまい」なんだから。

「社運を賭けて起死回生の大バクチを打つ」ということは株式会社であればいくらでもおやりになればいい。失敗したって倒産して、株券が紙くずになるだけである。けれども、行政や医療や教育でそんなことをされては困る。取り返しがつかない。

水道が出なくなったとか、交通網が途絶したとか、病院が閉鎖されたとか、学校が廃校になったとかいうことと、ある商品が市場に流通しなくなるというのはまるでレベルの違う話である（ある商品がなくなってもあっというまに代替商品が市場を席巻するだけのことである）。

そんな簡単なことさえ理解できない人たちが「人間が集団として生きてゆくためにほんとうに必須のもの」と「（あってもなくてもよい）商品」を混同して、商品の開発・製造・流通と同じ要領で社会的共通資本も管理できると思い込んだ。そのせいで、いまの日本は「こんなざま」になってしまったのである。

断言させてもらうが、大学の学術的生産力の劇的低下は大学の株式会社化の必然の帰結である。文部科学省の指示によって、大学はトップ（学長・理事長）に全権を集約して、大学教授会は諮問機関に格下げされた（もう人事や予算の決定どころか入学・卒業の判定さえできなくなった）。

教育内容は卒業生の「買い手」たる産業界から要望された「グローバル人材」なるもの（英語でタフな交渉ができて、辞令一本で翌日から海外に赴任できて、安い賃金で無限に働き続けられるサラリーマン）の育成に偏することとなった。

換金性の高い研究・成果がすぐに出る研究ばかりが選好され、海のものとも山のものともつかぬ先行きの不透明な研究（ほとんどのイノヴェーティヴな研究はそうやって始まる）には資源が分配されない。

若い研究者たちは不安定な任期制の身分に置かれているため、プロジェクトのボスのやり方に疑義を呈することはただちに失職のリスクを伴う。このような息苦しい研究環境で、いったいどうすれば創造的な研究が生まれるというのか。

日本の学校教育が「もうダメ」だということはすでに２０１６年秋に「Foreign Affairs Magazine」が伝えていた。日本の教育システムは「社会秩序の維持・産業戦士の育成・政治的な安定の確保」のために設計された「前期産業時代に最適化した時代遅れのもの」であり、それゆえ、教員も学生もそこにいるだけで「息苦しさ」「閉塞感」を感じている。

入試「英語」改革への疑念

文科省が主導して学の差別化と「選択と集中」のためにこれまでいくつかのプロジェクトが行われた（COE、RU11、Global30など）が、どれも単発の思い付き的な計画にすぎず、失敗に終わったというのが同誌の診断であった。

私がなによりも問題だと思うのは、このような海外メディアからの指摘に対して文科省が無言を貫いたことである。文科省の過去四半世紀の教育行政の適切性をきっぱりと否定したのである。それを不当だと思うなら、正面から反論すべきだった。

同誌に抗議して、記事の撤回や訂正を求め、私のように記事を読んで、「これは一大事」と情報拡散している人間に対しては論拠に基づいて「このようなフェイクニュースを宣布することに加担しないでほしい」と要請するくらいのことをしても罰は当たらないと思う。

けれども、文科省はこの記事を無視した。何もしなかった。文科省の教育政策をこれまで支持してきた大学人や教育学者もこの記事を無視した。日本の学校教育が失敗しているということを海外メディアから指摘されているという事実そのものを隠蔽したのである。

不誠実な対応だったと思う。たしかに、英語の外交専門誌を手に取る日本人など数千人もいない。99・９％の国民は文科省とメディアが黙っていればそんな記事の存在を知らずに終わる。だから、黙っていたのである。反論したら教育政策の致命的な失敗という指摘の当否が国内メディアで話題になる。それを忌避したのである。

自分たちの政策の正当性・適切性を論証することを放棄した人々が日本の教育行政を司っているのである。要するに「知性的であること」そのものを放棄した人々が、教育政策を立案しているのである。学術的発信力が急坂を転げ落ちるように劣化するのも当然である。この趨勢はもう止まらないだろう。

文科省の最新のスキャンダルは２０２０年度からの国立大学入試への英語の民間試験の導入である。これについては大学中学高校のほとんどすべての英語科教員が反対している。

この決定は密室で、少人数の関係者による、ごく短期間の議論だけで、実証的根拠も示されず、英語教育専門家の意見を徴することなく下された。実施の困難さや問題漏洩リスクや公正性への疑念や高校教育への負の影響についても何の説明もなされなかった。

民間試験導入を強く推進した当時の文科相が私塾経営者出身で学習塾業界からの資金援助を受けていること、有識者会議で民間試験導入を強く主張した委員の経営する会社が民間試験導入決定後に英語教育事業を立ち上げたという「醜聞」が報道された。「私利のために受験者数十万人の試験制度の改変を企てたのではないか」というような疑念はかつて日本の大学入試で呈されたことはない。だが、そういうことが起きても不思議はないほどに日本の教育行政は劣化しているということである。

では、どうしたらいいのかと言われても、私に妙案があるわけではない。手当てができるところから補正修復するしかない。まずは被害の全容を開示するほかはない。日本の学校教育がどれほど病んでいるのか、どれほど傷つけられたのかを点検してゆくところから始めるほかない。

とりあえずは全国の教職員たちが、現場に侵入してきた「株式会社化趨勢」に対してきっぱりと「ノー」を告げるところから始めるほかない。

格付けできないのが「知」

人口当たりの修士・博士号取得者が主要国で日本だけ減っていることが文科省の調査で判明した。これまでも海外メディアからは日本の大学の学術的生産力の低下が指摘されてきたが、大学院進学者数でも、先進国の中でただ一国の「独り負け」で、日本の知的劣化に歯止めがかからなくなってきている。

人口当たりの学位取得者数を２０１４〜２０１７年度と２００８年度で比べると、修士号は、中国が１・55倍、フランスが１・27倍。日本だけが０・97倍と微減。博士号は、韓国が１・46倍、イギリスが１・23倍。日本だけが０・90倍と数を減らした。

当然だと思う。さまざまな理由が指摘されているけれど、一言で言えば「大学院というところが暗く、いじけた場所になった」からである。若くて元気な人間なら、せっかくの青春をそんなところで過ごしたくはない。

と書いておいてすぐに前言撤回するのも気が引けるが、実は大学院は昔から暗くて、いじけた場所だったのである。にもかかわらず学術的生産性は高かった。どうしてか。

私が大学生の頃、大学院進学理由の筆頭は「就職したくない」だった。それまで学生運動をやったり、ヒッピー暮らしをしていた学生が、ある日いきなり髪の毛を七三に分けて、スーツを着て就活するというのは、傍から見るとずいぶん見苦しいものだった。「ああいうのは厭だな」と思った学生たちはとりあえず「大学院でモラトリアム」の道を選んだ。私もそうだった。

ところが、こんな「モラトリアム人間」ばかり抱え込んでいた時期の大学院が、学術的にはきわめて生産的だったから不思議である。それはちょうど日本社会が高度成長からバブル経済にさしかかる頃だった。同年配でも目端の利いた連中は金儲けに忙しく、世情に疎い貧乏研究者たちに「ふん、金にならないことしてやがる」という憐みと蔑みの視線を向けはしたが、「そんな生産性のないことはやめろ」とは言わなかった。人文系の学者が使う研究費なんて「鼻くそ」みたいな額である。「好きにさせておけ」で済んだ。おかげで、私たち経済的生産性の低い研究者たちは、世間が金儲けに忙殺されている隙に、誰も興味を持たない、さっぱり金にならない研究に日々勤しむことができたのである。そして、それが結果的には高い学術的アウトカムをもたらした。そういう意味ではよい時代だった。

でも、バブルがはじけて、日本全体が貧乏くさくなってから話が変わった。「貧すれば鈍す」とはよく言ったもので、「金がない」という気分が横溢（おういつ）してくると、それまで鷹揚（おうよう）に金を配ってくれた連中がいきなり「無駄遣いをしているのは誰だ」と目をつり上げるようになる。「限りある資源を分配するのだ。生産性・有用性を数値的に格付けして、その査定に基づいて資源を傾斜配分すべきだ」と口々に言い出した。「数値的な格付けに基づく共有資源の傾斜配分」のことを私は「貧乏シフト」と呼ぶが、大学も「貧乏シフト」の渦に巻き込まれた。そして、それが致命的だった。

というのは、格付けというのは「みんなができることを、他の人よりうまくできるかどうか」を競わせることだからである。「貧乏シフト」によって「誰もやっていないことを研究する自由」が大学から失われた。「誰もやっていない研究」は格付け不能だからである。

独創的な研究には「優劣を比較すべき同分野の他の研究が存在しない」という理由で予算がつかなくなった。独創性に価値が認められないアカデミアが知的に生産的であり得るはずがない。

日本の大学の劣化は「貧して鈍した」せいである。「貧する」ことはよくあることで恥じるには及ばない。だが、「鈍した」ことについては恥じねばならない。

企業が望む「即戦力」の正体

就職活動で「即戦力」という言葉を耳にするようになったのは、１９９０年代以降のことだ。この頃に企業の人材育成のあり方が変わったのだと思う。それまでの企業経営者は大学にあまり専門的な知識や技能の教育を求めなかった。「専門的なことは入社してから教えますから、大学では語学と一般教養をしっかり教えてください」。経営者たちからは実際にそういう言葉をよく聞いた。

それが変わった。研修をスキップしてすぐに仕事ができる「即戦力」を求めるということは、「人材育成コスト」を外部化して大学に押し付けるということである。「即戦力」を求める企業は端的に「人を育てる手間と金が惜しい」と言っているに等しい。

そもそも採用側は大学に「即戦力」としてどんな能力や知識を習得させてほしいのか。卒業後の進路が全く違う学生たちに、企業それぞれの特殊性に合った知識や技能を大学が教えられるはずがない。にもかかわらず大学にあえて「即戦力」を求めるのだとすれば、ここで求められているものは具体的な知識や技能ではなく、むしろある種の「心性」だということを意味している。

それは「イエスマンシップ」である。

どのような理不尽で無意味な業務命令であっても、上司の指示には抗命しない、質問もしない。どんな命令にも「イエス」と即答する、そういう従属的なマインドセットを企業は求めている。

それならたしかにどんな教育機関でも教えることができる。学生たちに理不尽で無意味なタスクを強制して、「これになんの意味があるのか?」と教師を問い詰める学生を低く評価し、何も聞かずに黙って教師の指示に従う学生を高く評価する。それならどんな教育機関でもできる。

だから、いま大学で「キャリア教育」という名の下で行われているのは「エントリーシートの書き方」や「面接の作法」というような実務レベルをとうに超え、「お辞儀の角度」とか「ノックの回数」とか「業種別化粧の仕方」というようなまったくナンセンスなものになっている。そういうことが「ナンセンスだ」と思う学生を排除するためのスクリーニングとしてはよくできた仕組みである。

就活のもう一つの目的は学生たちの自己評価を切り下げることである。何十社にも落ち続けると学生たちの自己評価は下がる。そのうち「採用してもらえるなら、どんな雇用条件でもいい、どんなハードワークでもいい」というところまで気弱になる。いまの新卒一括採用システムは意図的に求職者が浮足立ち、恐怖心を持つ仕組みをあらかじめ作り込んでおいて、劣悪な雇用条件を「丸のみ」するように仕向けている。

就職活動において学生たちが最も関心を持つべきなのは、この社会が今後どのように変わっていくのかについての情報である。しかし、大学のキャリア教育は「会社四季報」的な個別的な企業の業績や給与水準や福利厚生についての情報は与えるが、日本の産業構造のこれからの変化について触れることはまずない。

いまの学生が卒業後、30年、40年と働く間に社会は大きな変化を遂げる。急激な人口減とＡＩの導入によっては産業分野によっては今後大量の雇用喪失が予測される。何年もかけて身に付けた専門的な技能や知識がある日、「無価値」と宣言されることもありうる。

だからこそ、キャリア教育では「これから世界はどうなるのか」についての知識が求められている。本来、それは大学におけるすべての教科が扱うべきことであり、それをことさら「キャリア教育」として特化する必要はない。

日本はある時期から、イエスマンシップ、すなわち「無意味なタスクに耐えられる」能力がキャリア形成上重要な能力となった。昔から「ゴマすり社員」は一定数いたが、それが出世のためのデフォルトになったのはここ四半世紀のことである。

いまの40代、50代を見ると、どの組織でも、まともな批判精神がある人間は出世できていない。東芝や日産や神戸製鋼などの日本を代表する企業が次々と不祥事を起こしたが、どれも目先の利益を求め、ミスを隠蔽し、問題解決を先送りしたからである。上司や前任者の指示に無批判に従い、事を荒立てないことだけに汲々（きゅうきゅう）とするイエスマンばかりが重用された結果である。

ある意味では就活がそういうタイプの人間を組織的に作り出してきたのである。その罪について大学人はもっと痛みを覚えてよいのではないかと私は思う。

「イエスマンシップ」に屈した教職員

学校教育の劣化が止まらない。人口当たりの修士・博士号取得者が主要国で日本だけ減っていることが２０１８年8月、文科省の調査で判明した。それまでも「フォーリン・アフェアーズ」や「ネイチャー」など海外メディアや国際的なジャーナルからは日本の大学の学術的生産力の急激な低下が指摘されてきたが、大学院進学者数でも、先進国中ただ一国の「独り負け」状態であることが明らかになった。

教育政策が失敗することにはいろいろな理由がある。天変地異なら人知の及ばぬことだが、学校教育の場合は、そんな「想定外」は勘定に入れる必要がない。ふつうに考えれば、主因は教育行政の成否にある。しかし、本邦の官僚は政策の失敗を認めたがらない。それでも、現実に教育政策が失敗している以上、それを合理化する何らかの説明をしなければならない。

一番簡単なのは「現場」にすべてを押し付けてしまうことである。省庁は正しい政策を立案したのだが、現場の教職員たちがそれに抵抗し、サボタージュしたせいで「正しい政策」が実現できなかったのだという説明である。

だが、そうやって失敗を糊塗してしまうと、次の課題はどうやって現場に言うことを聞かせるかということになる。当然、結論は「上意下達システムの強化」ということになる。権限を指導部に集中し、現場には自由裁量権を一切与えない。教職員の「忠誠度」の査定を評価の最優先事項に据える。「イエスマン」を優遇し、反抗的な教職員は現場から排除する。日本の教育研究にかげりが出てきてから行政がやってきたのは実質的には「これだけ」である。そうして、日本の教育の劣化はさらに劇的に進行したのである。

考えれば当然だと思う。上司による格付けに怯え、指示がなければ動けない労働者がそうでない労働者よりも高いパフォーマンスを発揮するという行政の信念がどのような経験から導き出されたものなのか、私には想像がつかない。あるいは、中高時代の部活で監督や先輩に殴られたせいで好成績をあげたことをおのれの「成功体験」として記憶している人たちが中央省庁には集住しているのかも知れない。

そうやって学校を上意下達の組織に改組して、教職員を「イエスマンシップ」に基づいて格付けしたおかげで、政策は抵抗なく次々実現するようになったが、教育のアウトカムはますます劣化した。この事態はさすがにもう説明がつかなくなった。仕方がないので、役人たちは過去の政策の失敗を認めぬまま、次々と思いつき的な政策を命じるようになった。「過ち」は認められないので、前の指示は引き続き履行せねばならず、新しい指示がそれに追加される。タスクはひたすら増え続ける。その結果、小学校から大学までの全レベルで教員たちは疲弊し果て、次々とバーンアウトしている。

以上が学術的発信力の劣化の歴史的経緯である。このままでは遠からず日本の知的生産力は先進国レベルから脱落せざるを得ない。国内でも、先端的な研究分野の研究者たちの多くがその暗鬱な予言に同意している。

すでに若い研究者たちはより恵まれた、より自由な研究環境を求めて、欧米諸国だけではなく、アジア諸国への移動を開始した。この趨勢はもう止まらないと思う。日本人の研究者が世界各国の研究機関や大学で活躍するのはまさに「グローバル人材」を輩出しているということなのだが、その主たる理由が「日本ではもうやりたい研究ができない」ということであるのが情けない。

日本の教育と研究はいま、危機的な状況に立ち至っている。だが、その解決策として提案されるのは相も変わらずの「上意下達の強化」と「格付けに基づく傾斜配分」だけなのだ。絶望的な頭の悪さという他ない。

街場の東大論

編集部注：2011年、内田樹氏は神戸女学院大学教授を60歳で退職した。日本の高等教育を長年にわたり見つめてきた大学人として、最後の教育論を「サンデー毎日」に語った。

アカデミズムは「何だかすごそうなことをやっている」でいい

――ブログなどで大学論を語られています。母校である東大について、どんな印象を持っていますか。

僕が東大にいた時代からはだいぶ変わっていると思うけれど、あの大学にいささかでもいいところがあるとすれば、日本中から集まってきた鼻っ柱の強い子どもたちが

「つぶし合い」をすることでしょうね。それまでずっと一番で、この世にオレより上はいないと吹き上がっていたタイプがばりばりに鼻っ柱を折られる。これは大切な通過儀礼だったと思いますよ。

地方出の「三四郎」型秀才をからかうのは、だいたい都会の進学校出身者で、日比谷、教駒（教育大駒場、現在の筑波大駒場）、麻布といったあたりの遊び慣れた不良連中でした。でも、出会い頭は都会のすれっからしの「与次郎」が地方の秀才たちをけむに巻いちゃうんだけど、秀才たちはさすがに地力があります。その後、「なにくそ」と勉強でも道楽でもむきになってやるから、最終的に偉くなるのはだいたいそっちの方でしたね。いわば、都会の不良少年たちは彼らの人間的成長の支援をしていたわけです。日本中のナマイキ少年たちを一堂に集めて、シャッフルして、圭角を削ぐというのは結構、大切なことじゃないかな。

――東大が頂点に立つ限り、受験戦争はなくならないという議論があります。

偏差値で輪切りにするというのは割とフェアな選別方法だと僕は思います。「受験による選別は人間的能力と関係ありません」と宣言しているに等しいのですから。受験生はその方が心理的には楽なんです。だって、入試問題って勉強すれば必ず解けるようになります。よく、面接と小論文で「人間性を問う」試験を課すところがありますが、そんな試験で落とされたら、「あなたは人間的にダメです」ってことでしょう。そっちの方がよほど心理的にはつらいですよ。

――国立大は法人化され、その位置づけや役割が問われています。

民営化なんかしない方がいいと思います。民営化するということはマーケットの需給関係で教育内容が決まるということでしょう。マーケットは目先のこと、それこそ四半期決算のことしか考えてない。そのときどきの市場のニーズに合わせて知識や技術を身につけさせたら、ニーズがなくなった瞬間に身につけた知識や技術は無駄になります。

――大学とマーケットの関係でわかりやすいのが、産学連携です。

どうでしょうか。ほんとうに重要な研究って、マーケットと直接にはリンクしてないですよ。素粒子論や宇宙工学なんて、研究成果がビジネス上の利益をもたらすまで場合によっては何十年も待たなくちゃいけないわけでしょう。普通の経営者は待てません。

海のものとも山のものともわからないけど、「何だかすごそうなこと」をやっているというのがアカデミアとしての健全な姿なんです。そういう「何だかわからないもの」にお金を出したいという企業の産学連携なら大いに結構ですが、「投資した分をすぐ回収させろ」というようなタイプの関与はむしろ学術の邪魔です。学術研究を「それでいくら儲かるか」という物差しで査定するのは下品ですよ。東大にアカデミアとしてのプライドがあるなら、そういうさもしいことはやめてほしいですね。

結果を出すのが東大、大化けするのが京大

――東大に対して京大があります。

この二つの大学は校風がまるで違い、それぞれに任務分担していると思います。東大は投資すればそれにふさわしいアウトカムをきっちり出してくる。投下した資源とリターンの間に適切な相関が期待できる。こうした信頼性ではたぶん日本一じゃないですか。

でも、イノベーションは東大には向かないと思う。秀才の集まりだから。秀才って、「いま現在支配的な価値基準に照らして評価が高い人」たちのことだから、イノベーションとかブレークスルーとかいうことはもともと向いてないんです。イノベーションというのは、本質的には「これまでのどのような『物差し』をもってても考量できないもの」を作り出すことですからね。

日本の学術の世界では、イノベーションは京大の担当だとみんな思っているんじゃないですか。京大は投資とリターンのシュアな相関ということについては当てにならないけれど、ときどき「大穴」を当てるでしょ。コンスタントに結果を出すのが東大、大化けするのが京大。

ノーベル賞につながるようなイノベーションを支援するには、管理が緩い方がいいんですよ。研究者に予算を適当にばらまいて、そのほとんどがスカでも、100人に1人くらい大ブレークすれば長い目で見れば帳尻は合うんです。そんなリスクを負う根性は、京大にはあっても、東大にはないでしょう。
それに、東大には「マッドサイエンティスト」が跳梁跋扈するようなアナーキーな雰囲気がぜんぜんないですよね。もっと管理を緩めないとイノベーティブな才能は現れない。東大は秀才養成機関なんだから、それは無理なんですよ。ノーベル賞は京大に任せましょう。でも、京大も最近は管理がきついらしいから、もうどっちもダメかもしれないけれど。

――「東大は世界一の大学を目指す」と言っている関係者がいるようです。

何をもって「世界一」というのかな。数値的根拠って何だろう。いずれにせよ、「世界一」になるための費用対効果というようなことを考えて工程管理をしている限り無理だと思いますよ。先端の研究者が領収書そろえて電卓たたいたり、文科省に出す報告書を作文して時間をつぶしたりしているような大学はどう転んでも世界一なんかになれません。

でも、東大は「大学教授を養成するシステム」としてはよくできたトレーニングセンターだと思います。親分と子分という古いタイプの「家制度」は東大を含めて日本の旧帝大のある種の遺産じゃないかな。悪く言う人が多いけれど、学閥って決して悪いことばかりじゃないんです。昔は東大教授は「植民地」の大学ポストを総括していて、「お前はあそこの助教授やってこい。あそこで3年辛抱したら次はこっちの大学に教授で呼んでやる」というようなコントロールをしていた。前近代的な徒弟関係ですが、そのお陰でいったん「一家」に草鞋を脱いだら、ボスが面倒を見てくれた。徒弟制度とか植民地システムというのは、悪いことばかりじゃない。教員公募を見ては応募して、いつも就活している研究者と、ボスから「君は好きなことやっていいよ」と言われている人ではアウトプットはまるで違う。面倒見のいいボスについている方がスタンドアロンでやるより若い人にとってはチャンスが多いでしょ。

研究室の個性とか、学統とかってあると思うんです。ボスが必死に集めてきた蔵書があり、研究環境があり、コネがあり、金主があるというところにいる弟子はゼロからスタートする研究者よりもずっと有利です。それが何代か続けば研究の質全体が底上げされることがあるでしょう。東大はそうやってレベルを維持してきたんじゃないですか。

――東大教授に、東大出身者が多いという批判がありました。

いいんじゃないかな。学統とか学風というのは大事だし、そのキャンパスで何年飯食ってきたかということと関係あるし。もちろん外部の人もどんどん入れていいと思うけれど、純血主義はいかんという議論はよく理解できない。要はある部署が際だってアクティブであればその活気に吸い寄せられて世界中から人間が集まってくるわけでしょう。東大出身者が多すぎるというのが「あまり魅力がないので人材が集まってこない」ことの結果だとしたら、それは研究のアクティビティの問題であって、純血主義とは関係ないですよ。そんなところで制度的に東大出身者の頭数を減らしても、研究が活性化するというものじゃない。

――近年、東大に入る学生の親の収入は高いと言われています。

日本の学術そのものが衰えてきたのは、「教育にはカネがかかるから、受益者負担」というルールを採用したせいだと思ってるんです。国公立の授業料は高すぎます。年間50万円なんて学生に払える金額じゃない。だからいまは「苦学」ができなくなったでしょう。

僕らの学生の頃は苦学生がたくさんいました。国公立の学生は親から仕送りなんてもらわずにやっていけた。1970年の国立大の授業料は年間1万2000円ですよ。入学金が4000円だったから、半期授業料6000円とで計1万円で入学手続きできたんです。当時とは貨幣価値が違うと言いますけどね、授業料が月額1000円のとき、僕の塾のバイトの時給が600円でした。2時間働くと1カ月分の学費が払えた。普通にアルバイトをしているだけで学費払って、部屋借りて暮らせたんです。それどころかアルバイトして実家に仕送りしている学生だっていたんだから。

授業料が引き上げられたせいで、苦学生がいなくなった。それで一番変わったのは進路の選択ができなくなったことです。昔は学部の選択が自分でできました。親がだめと言っても、「じゃあ、いいよ。自分で学費払うから」と言えれば、親の干渉を退けられた。

いまは入学時に100万円くらい要るわけでしょ。18歳の子どもにそんなお金の工面ができるはずがない。結局、自分がやりたいことがあっても、最終的にはお金を出す親の希望に従うしかない。そうなると、相当数の学生が「不本意入学」になる。

親の強権的な干渉が間違っていたことを思い知らせるには、勉強しないで親の金をドブに捨てさせるという仕返ししかない。現に学生たちは親に仕返しするために、そうしてますよ。授業料も、学生たちが無為に過ごす時間も、ぜんぶ無駄になっている。親がどれだけ反対しても、自分で進学先が選べて、自力で授業料が払えて、卒業できるようなシステムにしないとダメです。

政治家の資質に公共性は不可欠

――ハーバード大にはケネディスクールという政治家養成学校があります。東大にも政治家を養成する機関があってもいいという議論があります。

成功しないんじゃないですか。政治家にとって一番大事な資質は公共性でしょう。公共性というのは、「努力することで自分の利益を増大させる」という発想とは無縁だから。秀才たちは努力したらそれにふさわしい報酬を求める。個人的努力の報酬はきっちり個人宛てに戻ることを要求する。自分の努力によって「みんな」が幸福になるのを見て幸福になるというマインドは秀才には希薄です。

政治家に第一に要求されるのは、自己利益を後回しにしてでも公共の福利を優先させる志でしょう。公共的なマインドセット、公民意識については、悪いけど東大生には望むべくもない。自分の努力に対して適正な報酬を求めるという計算高さについて言えば、東大生は日本で一番ではないでしょうか。でも、そんな傾向は政治家にはぜんぜん向きません。政治家には自分の努力が匿名性のうちに埋没するということを厭わない資質が必要ですから。

「才能で食う」のはアンフェア

――東大生はノーベル賞クラスの研究者になれない、政治家としても向かない。やはり、東大生が向いているのは官僚ということになりますか。

東大は評定平均値4・5くらいの安定した知的クオリティーを持った人たちを組織的に生み出すための教育装置ですよね。となれば、やっぱり官僚が一番向いているんじゃないかな。あとはサラリーマン。組織内で出世するタイプの。

東大に入るような秀才は、自分ではすごく勉強したようなことを言ってますけどね、ほんとうはあまり努力していないんです。遺伝的に頭がいいから。授業を聞いてるだけで教科がすらすらわかるような頭の作りに生まれついているんです。だから、それに対しては「努力しなくても東大に受かるような頭に生まれついてありがたい」と思うべきなんですよ。勉強ができるのは自分の努力の成果じゃなくて、ただの遺伝形質なんです。力が強いとか、背が高いとか、目がいいとかいうのと同じです。そういう天賦の才能はみんなのために使って、世の中に還元しなければいけない。そういうことを教えるのがほんとうのエリート教育なんです。あなたがたの持って生まれた才能をどうやって世のため人のために使うか、それを考えさせるのがエリート教育でしょう。

でも、東大ではそんな教育をやってないと思う。どんな分野でも、「才能で食う」というのはほんとうはフェアじゃないんです。生まれつき力持ちの人が腕力で人を支配するのと同じで。そういう力は、道に倒れている木があったら「僕がどけてあげるから、みんな通りなさい」というふうに使うものでしょう。でも、東大の先生たちは「君たちはその才能を自己利益のためではなく、公共の福利のために使いなさい」というふうには教えていないと思います。彼ら自身が自分の才能を最大限に活用していまのポストを得たわけですから。

僕は3月で大学を定年退職して大学教育とは縁が切れますけれど、最後に東大生たちにはこう言いたいですね。頭がよく生まれついた人はそれを世のため人のために使いなさいって。

「金魚鉢」のルールとコミュニケーションの誤解

世界は移行的混乱の中に

いまの若者たちはほんとうに厳しく、生きづらい時代を生きていると思います。僕が10代だった1960年代は明るい時代でした。

米ソの核戦争で世界が滅びるのではないかという恐怖がつねにありましたけれど、そんなことを日本人が心配しても止める手立てもない。だったら、「どうせ死ぬなら、いまのうちに楽しんでおこう」というワイルドでアナーキーな気分があふれていました。幸い、どんなに騒いでも、憲兵隊や特高が来る心配はない。だから、風通しのいい時代でした。

いまの日本の社会はそれに比べると、ほんとうに風通しが悪いですね。息が詰まりそうです。狭い「金魚鉢」のようなところに詰め込まれているような気がします。

世界は移行期的混乱のうちにあり、あらゆる面で既存のシステムやルールが壊れかけている。それなのに、日本の社会はその変化に柔軟に対応できずに硬直化している。金魚鉢にひびが入り、いまにも割れて中の水ごと外に放り出されるかもしれないのに、若い人たちは、相変わらず「金魚鉢の中の」価値観や規範に適応するように求められている。むしろ、外側で大きな変化が起きている分だけ、恐怖と不安で、硬直しているように見えます。

激動期に対応して、生き残るためには、集団の一人一人が持っている多様な能力や資質を生かして、「強い」チームを形成しなければいけないのですが、日本の学校教育は単一の「ものさし」をあてがって子どもたちを格付けして、スコアの高い者には報酬を与え、低い者には処罰を与えるということだけしかしていない。多様な才能や資質を開花させるためには、ほとんど何もしないで、ただ「みんなができることを、他の人よりうまくできる」競争に若者たちを追い込んで、消耗させている。こんな相対的な優劣を競わせても、来るべき変化に備え、それを生き延びる知恵と力を育てるのには何の役にも立ちません。

コミュニケーションとは違いを認め合うこと

なぜこんなことになるのか。

理由の一つは、超少子化のせいで子どもより大人の数が圧倒的に多く、大人による管理と監視が強まっていることです。社会全体に「すき間」や「遊び」がなくなった。「大人の目が届かない場所」がない。物理的にないのです。僕らの時代には大人の知らない場所、大人の指示も干渉も届かない場所がそこここにあった。大人たちも生きるのに必死で、子どもたちのことなんか構っていられなかったんでしょう。その放任のおかげで、子どもたちは自由気ままに遊べた。

たしかにSNSで子ども同士のコミュニケーションは便利になりましたけれど、そのシステムを設計し管理しているのは大人たちです。そこで展開されているのは、僕らが中学生の頃に仲間うちでやっていたような「地下活動」や「レジスタンス」ではありません。全部が管理されて、「ビッグデータ」に書き込まれている。だから、コミュニケーションの場そのものにも管理の網が張り巡らされ、強い同質化圧が働いている。

そもそもコミュニケーションということの意味が誤解されているのかも知れません。

先年大学で短いレポートを課したら、「私、コミュ障なんです」と書いてきた学生が数人いました。「コミュ障」という言葉をその時にはじめて見て、たぶん「コミュニケーション障害」の略語なんだろうとは思いましたが、どういう意味で使っているのかわからない。

よくよく読んでみると、学生たちが「コミュニケーションが成立している」と見なしている事態とは、誰かが「あの店のケーキ、美味しいよね」「この服かわいいよね」というようなことを言うと、周りが一斉に「そうそうそうそう！」と手を叩いて、激しく頷くようなふるまいを指しているらしい。全面的な同意と共感を誇示することを「コミュニケーションが成り立っているさま」だと思い込んでいるらしい。でも、自分は他の学生の言うことにいちいち首がちぎれるほど頷いたり、手が腫れるほどハイタッチしたりすることができない……。きっと、こんな私はコミュニケーションができない人間なんですと「カミングアウト」しているわけです。

コミュニケーションが「そういうもの」だと思っていたら、たしかに日々がさぞやつらいことでしょう。

同意や共感にだって、「そこそこ共感できるけれども、違和感が残る」とか「理解はできるが、共感できない」とか「意味がわからないが、なんとなく腑に落ちた」とか、さまざまな濃淡の差がある。それを言葉にして、やり取りを重ねていくうちに、お互いの理解が深まったり、違いを認め合ったり、調整したり、合意形成を果たしたりできるようになる。それが対話であり、コミュニケーションだと僕は思います。

コミュニケーションすることの最大の喜びは、自分が思いもしなかったアイディアを他人から得ることや、自分とは違う感受性を通じて経験された世界を知ることにあると僕は思っています。自分の感情や思考を他人にまるごと肯定してもらっても、うれしいけれど、それによって自分が豊かになるわけではない。対話することの甲斐(かい)は、対話を通じて自分が豊かになり、より複雑になることでしょう?

だから、いまの若い人たちは異論との対話が苦手になっていると思います。少しでも異論や疑義を呈すると、それを即「批判」だと受け止めて、傷ついてしまう。異論や異議にしても、いろいろなレベルの、いろいろな温度や手触りのものであるはずなのに、まるでネットの匿名コメントで「w」付きで罵倒されたのと同じような気分で受け取ってしまう。「そうそうそう！」という100パーセントの同意か、切り立てるような冷笑か。ゼロか100の、どちらかしかないのだとしたら、これはきびしいコミュニケーション環境だと思います。

友人関係においても、グループ内での自分の立ち位置や「キャラ」が決められていて、一度決められると、変えることができない。これもしんどいと思います。一度「あなたはこういう人だよね」と断定されて、キャラが固まると、周囲とうまく付き合うためには決められた「キャラ」を演じ続けるしかない。中高一貫校のように狭いところで人間関係が長期間続くと、一度決まった「キャラ」を変更することは容易じゃないです。僕は中学までは優等生で、不良は「高校デビュー」で、その勢いで退学しちゃったんですけれど、中高一貫校だったら、そんな切り替えは無理だったでしょう。

周囲の空気を読めなかったり、「キャラ」を演じきれないと、孤立して、「ぼっち」になる。「一人でいること」はどうもとても恥ずかしいことらしい。お昼ご飯をトイレの個室で食べる子がいると聞いたことがありましたが、実際に研究棟の階段の踊り場に腹ばいになってお弁当を食べている学生を僕も見たことがあります。なんだか壮絶に孤独な様子で、声をかけられませんでした。

いまの若者たちが気の毒だなと思うのは、自己責任論を深く刷り込まれ、それが内面化してしまっている点です。物事がうまくいかなかったり、十分な評価を得られないと、「自分が悪い。能力がなく、努力が足りないせいだ」と自分を責めてしまう。いまの若者たちは総じて自己肯定感が乏しく、自己評価も低いですけれど、それは幼い頃から単一の評価基準で査定され、格付けされ続けてきたからだと思います。

格付けされ慣れてしまったせいで、逆に、格付けされないと不安になる。客観的で精度の高い格付けをされて、自分の同学齢集団内部でのランキングを知りたがる。それに基づいて、自分は「どの程度の野心」を抱いてよいのか、「どの程度の学歴」や「どの程度の地位」や「どの程度の配偶者」をめざしてよいのか、その「シーリング」を少しでも早く知ろうとする。

極端な同調的コミュニケーションにしても、自己責任論にしても、格付け志向にしても、彼らの責任ではないんです。社会がそうさせているんです。それが先ほど申し上げた「金魚鉢の中の硬直化したルール」です。

人文学は生き延びる道を探す学問

自分たちがいま生きている社会が金魚鉢のように閉ざされた狭い空間であることに気づいて、生き延びる道を見つけること、人文学を学ぶ意味は、そこにあります。

人文学というのは、扱う素材の時間軸が長く、空間も広い。考古学や歴史学なら何千年、何万年前のことを扱うし、民俗学や地域研究では、はるか遠い国の文化を学びます。文学もそうです。遠い時代の、遠い国の、人種や信仰や性別や年齢が違う人の中に想像的に入り込んでいって、その人の心と身体を通じて世界を経験する。「いま、ここ、私」という基準では測り知れないことについて学び、理解するのが人文学です。

学ぶことによって、自分たちが閉じ込められている金魚鉢のシステムや構造を知り、それがいつどんな歴史的条件下で形成されたものであるかを知り、金魚鉢の外側には広い社会があり、見知らぬ世界があり、さらにそれを取り巻く宇宙があることを知る。金魚鉢も含めた世界はどこから来て、いまどんな状態にあって、これからどう変わっていこうとしているのか、それは金魚鉢の中にいながらでも学ぶことができます。これが人文学を学ぶということです。この混乱期を生き延びてゆくためには、できるだけ視野を広くとって、長い歴史的展望の中でいまの自分を含む世界の風景を俯瞰することが必要です。

安定した時代においては、特定の分野や領域の、限られた技能を磨いておけば、一生食いっぱぐれがないということもあるでしょう。でも、ある職業や技能がある日まるごと必要でなくなるということは科学技術の歴史の中で何度も起こりました。「イノベーション」というのはそのことです。

イノベーションというのは、よいことばかりではありません。ある産業分野や職業がまるごと不要になるんですから。蒸気機関の発明で、馬車を御す技術は不要になり、駅者(ぎょしゃ)も馬具屋も仕事を失った。かつては和文タイプライターという機械があり、それを扱う技術を教える専門学校まであったのに、ワープロの登場ですべて消えてしまった。今後も同じようなことが、さまざまな分野で繰り返し起こってくるでしょう。

火星人にサッカーを教えるように、生きる意味を自分に問おう

これからＡＩの導入で、さまざまな産業分野で雇用の喪失が予測されています。生き残るためには自分が携わっていることの根源的な意味を理解しておく必要があります。というのは、ある時代に存在した職業や技能は、時代が変わり、社会が変わると姿を消しますけれど、実は別のものに変容して生き延びているということがあるからです。

たとえば、サッカーというゲームがあります。サッカーは歴史的経緯があって誕生したものですから、歴史的条件が変われば消えるかもしれない。でも、ボールゲームの本質は変わらないから、必ずサッカーに代替するボールゲームが生まれて、それに変容して生き残ることになる。

ボールゲームの本質は何か。それは火星人に「サッカーとは何か」を説明するとなったら、どう伝えるか、というような想定をすればわかります。まずフィールドがある。ラインの内側が「フェア」で、ラインの外が「ファウル」である。ボールは「生きて

いるか」「死んでいるか」のどちらかの状態にある。どこで、どういう状態でボールが死んだかによって、次のプレイの初期条件が決まる。プレイヤーたちは、ボールを相手陣の最深部へ「贈与」することをめざして動き回り、互いに相手が「贈与」を成就することを阻止しようとする……というような言葉づかいがボールゲームについての「根源的な説明」になる。そう火星人に説明してゆくうちに、サッカーに限らずすべてのボールゲームは本質的に同一のルールに従っていることがわかる。ボールゲームというのは人間に世の中の成り立ちを教えるための教育的な装置だということが理解できる。サッカーがなぜあれほど世界中で熱狂的に受け入れられるのか、それはこのスポーツが実にみごとに「遊びながら世界の成り立ちを理解する」仕掛けだからです。

そういったボールゲームの本質を理解しているプレイヤーと、ただ身体能力や技術に優れているプレイヤーでは、パフォーマンスの質や、何より観客に与える感動の質が違ってくる。世界のトップ・プレイヤーたちは、自分がなぜこのゲームをプレイしているか直感的に理解していると思います。だからトップになれる。

人文学もそれと同じです。自分が存在し、生きているこの社会の成り立ちや学問領域そのものの意味を自ら問いかける。文系でも、政治学や経済学や法学などは「実学」と言われます。「実学」とは、その学問領域がどのような歴史的条件の下で生まれたのか、どのような社会的機能を果たしているのか（それは逆から言えば、「どのような歴史的条件下で不要になり、その社会的機能を失うのか」ということですが）を問わない学問領域である、と申し上げてよろしいでしょう。自分たちが日常的に用いている用語や概念そのものを問うということをしない。前に経済学部の学生から「文学部なんて要るんですか？」と訊かれたことがあります。僕はこう答えました。

「経済学部では、貨幣とは何か、市場とは何か、交換とは何か、欲望とは何かというような根源的なことをふつうは誰も問わないでしょう。あまりに自明過ぎて、問う必要さえない概念だと思っている。でも、それらはすべて人間の脳が生み出した幻想ですよ。何の実体もない。僕は文学研究をしていますが、自分が人間の脳が生み出した幻想を相手にしていることをつねに自覚している。その点では、君たちよりは正気の度合いが高いと思っています」

実学というのは、既存のシステムが正常に機能している時代の、いわば「平時の学問」です。ある数値や理論を入力すれば、こんな出力があるという入力出力の相関が計算できる場合には、きわめて効率がよい。それに対して、人文学はいわば「乱世の学問」です。以前、京都精華大学で行った対談でも、僕はそう申し上げたことがあります。人文学というのは、自分の足元が崩れてゆくような混乱の時代において、「そういうことはよくある」と腹をくくって、その状況を生き延びてゆく知恵と力を身に付けるためのものです。50年、100年、1000年といった広々としたタイムスパンで人間とその世界を俯瞰するための学問です。世界の仕組みが大きく変わり、日本社会の金魚鉢が割れる寸前までできているような「乱世」にこそ、ものごとの本質を根源的に考える知的態度が求められると僕は思います。

「自分が機嫌よくいられる場所」を探そう

これから大学に入って、学ぼうとしている若い人たちにお伝えしておきたいことがいくつかあります。

まず一つは、「自分が機嫌よくいられる場所」を見つけること。機嫌がよいというのはある事態の感情的な現れであって、「機嫌がよくなる場所」には条件があります。

それは、そこにいると、次の動きについての選択肢が多く、可動域が広い場所であるということです。

僕が長年やっている合気道では、「気分のいいポジション」というのは、身体の中に生じるこわばり、詰まり、ゆるみ、ずれ、痛みといった違和感や不快感を順番に消していって達成される「ギアがニュートラルに入った」ような感じです。人間の身体はきわめて精密に連携していますから、体軸や足の向きや目付け（編集部注：相手の全身をバランスよく油断なく見極め、さらに相手の心と体の動きを察し備えること）を変え、指一本の角度を少し変えるだけで、肩のこわばりや胸の詰まりがなくなったり、股関節や膝関節の可動域が広がったりします。稽古を重ねてゆくうちに、身体を精密にコントロールする方法が身につき、一部分をほんの少し動かすだけで身体の状態が一変するということが体得されてくる。

やはり武道の教えに「座を見る・機を見る」ということがあります。座とは「いるべき場所」、機とは「いるべき時」のことです。「すべての条件が整って、絶対にここしかないという正しいポジション、正しいタイミング」というふうに理解されるかも知れませんが、そうではありません。

武道的な意味での「正しい場所」とは「どこにでもいける場所」のことであり、「正しい時」というのは「次の行動の選択肢が最大化する時」のことだからです。

僕のスキーの先生が前に「スキー板の上の正しいポジションに立つことが大事です」と言われたので、「先生、正しい位置とはどこですか?」と訊ねたことがあります。先生は「いつでも『正しい位置』に戻れることができるのが正しい位置です」という禅問答のような答えをしてくれました。でも、たしかにその通りだと思います。「正しい位置」というのは空間的に決まった座標のことではなくて、その時々において最も自由度の高いポジションを選択できる「開放度」のことだからです。

これと同じで、生きていくうえで最も大事なのは、ニュートラルで、選択肢の多い、自由な状態に立つことです。それはできるだけ「オープンマインド」でいることと言い換えることもできます。オープンマインドこそは、学ぶ人にとって最も大切な基本の構えです。

大学では、いま持っている知識や経験だけでは理解するのが難しい講義や書物、意見が大きく食い違う人に出会います。何を言っているのかぜんぜんわからない。でも、それは「いいこと」なんです。自分の知的な限界を超えるチャンスに遭遇したわけですから。相手の話に耳を傾ける。理解できなくても聴いてみる。コンテンツが理解できなかったら、音声を聴いているだけでもいいんです。自分の限界を超える知見はたいていの場合脳ではなくて、身体を経由して入ってくるからです。聴いていて「どきどきした」とか、「震えてきた」とか、「気持ちが鎮まった」とか「腹が空いた」とか、とにかく身体現象がまず起きる。それは自分の知的限界を超える入力を受け入れようとしているときの徴候です。

自分が理解でき、共感できることだけを聴き、自分がすでによく知っている分野について知識を量的に増大させることは「学ぶ」とは言いません。「学ぶ」というのは、自分の限界を超えることです。自分が使っている「わかる／わからない」の枠組みを踏み抜けてゆくことです。

若い人たちが感じている「生きづらさ」は「正しい位置」にいないことで生じた心身の歪みがもたらす詰まりや痛みです。自分が機嫌よくいられる場所はどこにあるのか、心身のどこにも詰まりやこわばりや痛みが生じないような姿勢はどうやったら見つかるのか、大学生活では何よりもそれを求めて行ってほしいと思います。God speed you!

「最悪の時代」を生き抜くための学び方

受験生の皆さんへ。

こんにちは。内田樹です。この春受験を終えられた皆さんと、これから受験される皆さんに年長者として一言申し上げる機会を頂きました。これを奇貨として、他の人があまり言いそうもないことを書いておきたいと思います。

それは日本の大学の現状についてです。いま、日本の大学は非常に劣悪な教育研究環境にあります。僕が知る限りでは、過去数十年で最悪と申し上げてよいと思います。見た目は立派です。僕が大学生だった頃に比べたら、校舎ははるかにきれいだし、教室にはエアコンも装備されているし、トイレはシャワー付きだし、コンピューターだって並んでいる。でも、そこで研究教育に携わっている人たちの顔色は冴(さ)えません。それは「日本の大学は落ち目だ」という実感が大学人の間には無言のうちに広く深く行き渡っているからです。

日本のメディアはこの話をしたがりません。ですから、はっきりとデータを突き付けて、「日本の大学が落ち目」だという事実を知らせてくれたのは海外メディアでした。「日本の学校教育はどうしてこれほど質が悪いのか？」という身もふたもない特集記事を最初に掲げたのは、米国の政治外交専門誌である「Foreign Affairs Magazine」の２０１６年10月号でした。

その記事は日本の大学の学術的発信力の低下の現実を人口当たり論文数の減少（減少しているのは先進国の中で日本だけです）や、ＧＤＰに占める大学教育への支出（ＯＥＣＤ内でほぼつねに最下位）や、研究の国際的評価の低下などをデータに基づいて記述した上で、日本の大学教育の過去30年間の試みを「失敗」と総括しました。

記事は日本の大学に著しく欠けているものとして「批評的思考」「イノベーション」「グローバルマインド」を挙げていました。批評的思考や創造性を育てる手立てが日本の学校教育には欠けていることは、皆さんも実感していると思います。

「グローバル人材育成」もむなしく〝失われた30年〟

けれども、「グローバルマインド」が欠けていると言われると少しは驚くのではないでしょうか。なにしろ1989年の学習指導要領以来、日本の中学、高校では「とにかく英語が話せるようにする」ということを最優先課題に掲げて、「改革病」と揶揄されるほど次々とプログラムを変えては「グローバル人材育成」に励んできたはずだからです。でも、30年にわたるこの努力の結果、日本人は「世界各地の人々とともに協働する意欲、探求心、学ぶことへの謙虚さ」（記事によれば、これが「グローバルマインド」の定義だそうです）を欠いているという厳しい評価を受けることになってしまった。

問題は英語が話せるかどうかといった技能レベルのことではありません（ついでに申し上げておきますけれど、過去30年で英語力も著しく低下しました。現在、大学入学者の多くが英語をまともに読めず、書けないために、大学では中学レベルの文法基礎の補習を余儀なくされています）。日本の学生に際立って欠けているのは、一言でいえば、自分と価値観も行動規範も違う「他者」と対面したときに、敬意と好奇心をもって接し、困難なコミュニケーションを立ち上げる意欲と能力だということです。

しかし、生きてゆく上できわめて有用かつ必須であるそのような意欲と能力を育てることは、日本の学校教育においては優先的な課題ではありませんでした。学校で子どもたちが身に付けたのは、自分と価値観も行動規範もそっくりな同類たちと限られた資源を奪い合うゼロサムゲームを戦うこと、労せずしてコミュニケーションできる「身内」と自分たちだけに通じるジャルゴンで話し、意思疎通が面倒な人間は仲間から排除すること、それを学校は（勧奨したとは言わないまでも）黙許してきました。

でも、その長年の「努力」の結果、「あなたたちはグローバルマインドがない」という否定的な評価を海外から下されてしまった。学校生活を無難に送るために採用した生存戦略が、皆さん自身の国際社会における評価を傷つけることになったわけです。

たいへんに気の毒なことですし、長く教育にかかわった者としては「申し訳ない」と叩頭（こうとう）するしかありません。僕自身はそういう学校教育のありように一貫して批判的でしたけれど（どちらかというと「排除される側」の人間でしたから）、力及ばず学校教育の空洞化を止めることができなかった。それについては責任を感じています（だから、こういう文章を書いているのです)。

2017年の3月には英国の自然科学のジャーナルである「Nature」が同じく日本の科学研究の劣化についての研究論文を掲げました。かつては世界のトップレベルを誇っていた日本の科学研究が停滞している実情を伝え、日本は遠からず、科学研究において世界に発信できるような知見を生み出すことのできない「科学後進国」になるリスクがあると警告を発しました。

日本の学校教育の危機がなぜ米英でニュースに?

米国の政治外交専門誌と英国の自然科学学術誌が相次いで日本の大学教育の危機について報道したというのは、よく考えると「変な話」です。海外の教育学者が指摘したというのならわかりますが、指摘してきたのは政治外交と自然科学の専門誌です。

自然科学は国境や国益とは関係のないグローバルな領域です。あらゆる国籍、あらゆる人種、あらゆる宗教の人が自然科学の進歩という共同作業にかかわり、その果実は人類全体が享受できる。その人類的なスケールの活動に、これまで豊かな貢献を果たしてきた日本の関与が期待できなくなる。それは人類にとっての損失です。おそらく海外の科学者はそれを恐れたのです。

一方、米国の政治外交専門誌が日本の学校教育に警告を発したのは、日本の国際政治のプレイヤーとしてのプレゼンスが低下するリスクを重く見たからです。米国にとって日本は東アジアにおける最大の友邦であり、「属国」です。このまま日本の知的衰退を放置していたら、それは米国の国益に悪い影響を及ぼすリスクがある。だから、日本の学校教育は「前産業時代に特化した時代遅れの教育システム」であるというような激烈な言葉が用いられた。それは米国人からすれば、一種の「友情」の発露でもあったと僕は思います。早く失敗を認めて、手立てを講じろ、と。

米英両国から日本の学校教育の失敗についての指摘があったことにはそれなりの歴史的意味があると考えられます。米英両国は大西洋憲章・ポツダム宣言以来、戦後日本の国のかたちについて制度設計の責任を（部分的には）感じています。はやばやと世界帝国であることをやめた英国はともかく、米国はいまも戦後日本のシステムに対して（宗主国としての）責任と権限を自覚しています。日本の国力が衰微したら、それは盟邦としての米国の国益が損なわれるだけでなく、ある意味で、制度設計と運営にあたっていた米国の責任でもあるからです。

だから、「友情ある苦言」はまず米英両国から到来した。そういうことだと思います。中国や韓国やＡＳＥＡＮ諸国からは日本の学校教育に対する批判的なコメントが来ることはまずありません。日本が教育に失敗して、国力が低下しても、それは彼らからすればまさに「対岸の火事」に他ならず、東アジアにおける日本のプレゼンスの低下など痛くも痒くもないからです。

現場に責任を押し付ける行政

ですから、友邦から海外から日本の学校教育について警鐘が鳴らされているということを日本の教育関係者は厳しく受け止めなければならないと私は思います。けれども、この事実について日本のメディアではほとんど報道がなされていません。なぜか。

制度に欠陥があるというのは「よくあること」です。でも、制度の欠陥についての指摘を聞き流して、失敗を修正しないというのは「よくあること」ではありません。それはより深刻な出来事です。人間は誰でも病気になり、怪我をします。そのときには、どの臓器や生体機能が不調であるか、どこの骨が折れ、どこから出血しているかについて吟味がまずなされます。そうしないと治療が始まらないからです。

でも、いまの日本では「日本の学校教育が海外から否定的評価を受けている」という事実そのものが隠蔽されている。それは制度を手直しし、補正する手立てを講じる機会そのものを放棄するということです。

驚くべきことに、教育行政の当事者たちはいまも自分たちの失敗を認めておりません。客観的なデータが「日本の教育は落ち目だ」ということをにべもなく伝えているので、やむなく「教育行政は一貫して正しい政策を行ってきたが、現場が言うことを聞かずに、閉鎖的で封建的な遺制を死守しているために、教育が劣化したのだ。ゆえに教員たちから自己決定権を取り上げ、上意下達の仕組みに切り替えることが教育改善のためには急務である」という説明にしがみついている。教育の「全面的な失敗」の責任は教育現場が行政の指導に従わないことにあって、行政側には何の瑕疵もない、そう言い張っている。

もちろん、内心では「たいへんなことになった」と困惑しているのでしょうけれども、いまさら「すみません」とは言えない。お役人は基本的に失敗を認めません。それで省庁の面子が保てると思っている。でも、そのせいで「失敗から学習する」という、進歩と修正のための唯一つの道筋を自ら塞いでしまっている。

ですから、気鬱な予言になりますけれど、大学を含む日本の学校教育はこれから先ますます「落ち目」になってゆきます。V字回復の見込みはありません。もうすぐに18歳人口の急減によって、大学が次々と淘汰されて消えてゆきます。

大学を経営する660の学校法人のうち112法人（17％）が経営困難〔2016年度〕、21法人は2019年度中に経営破綻が見込まれています。皆さんがこれから進学しようとしている先は、そういう危機的状況にある領域なのです。

正しい選択肢はない。「やりたいこと」に注力する

じゃあ、どうすればいいんだ、と悲痛な声が上がると思います。上がって当然です。わかっているのは「こうすればうまくゆく」というシンプルな解は存在しないということです。初めて経験する状況ですから、成功事例というものがない。生き延びる方途は皆さんが自力で見つけるか、創り出すなりするしかない。

書物やメディアで必要な情報を集め、事情に通じていそうな人に相談し、アドバイスに耳を傾け、分析し、解釈して、生きる道を決定するしかありません。そして、その選択の成否については自分で責任を取るしかない。誰も皆さんに代わって「人生の選択を誤った」ことの責任を取ってはくれません。

どのような専門的な知識や技能を手につけたらよいのかを判断をするときにこれまでは「決して食いっぱぐれがない」とか「安定した地位や収入が期待できるから」という経験則に従うことができました。これからはそれができない。日本の産業構造や雇用状況はこれから少子化・高齢化とＡＩの導入で激変することが確実だからです。でも、どの産業セクターが、いつ、どのようなかたちで雇用空洞化に遭遇するか、誰も予測できない。

ですから、僕から皆さんにお勧めすることはとりあえず一つだけです。それは「学びたいことを学ぶ。身に付けたい技術を身に付ける」ということです。「やりたくはないけれど、やると食えそうだから」といった小賢しい算盤を弾かない。

「やりたいこと」だけにフォーカスする。それは自分がしたいことをしているときに、人間のパフォーマンスは最も高まるからです。生きる知恵と力を最大化しておかないと生き延びることが難しい時代に皆さんは踏み込むのです。ご健闘を祈ります。

編集部注：日本私立学校振興・共済事業団の調査によると、全国658の学校法人のうち、21法人は2023年度末までに破綻する恐れがある（学校法人の2019年度決算を分析）。

第4章

平成から令和へ生き延びる私たちへ

平成から振り返る、昭和的なもの

もうすぐ改元である。新元号はどうなるのかまだわからない。政治家たちが余計な注文をつけたせいで元号が生々しい政治的主題になってしまったのは不幸なことである。専門家が純粋に学術的な見地から価値中立的な元号を撰してくれることをいまは祈念している。

元号というのは時間を考量するための一種の度量衡である。ものをはかるのに、メートルやキログラムを用いる文化圏があり、フィートやパウンドを用いる文化圏があり、尺や貫を用いる文化圏がある。それぞれの歴史的必然があって固有の「ものさし」を持っている。

社会集団ごとに度量衡が違うのは面倒だから、世界標準に統一しろというような手荒なことを言う人がいるけれど、無茶を言ってはいけない。西暦というのは、キリストの誕生前後で世界の相貌は一変したという「物語」に基づいた度量衡である。たしかに、世界のキリスト教徒にとっては好ましい話だろうが、ヒジュラ暦を採用しているイスラム教徒たちや、仏暦を採用しているタイ人や、ユダヤ暦を採用しているユダヤ教徒たちにとってはそうではない。「これからはそういうローカルな暦法は捨てて、キリスト紀元に統一して頂きます」と言っても、彼らがすんなり「はい」と言うとは思われない。

世界標準が一つに定まっている方が便利だということについては私にも異存はない。けれども、それと併用して、時間を区切るためにそれぞれの社会集団が固有の「ものさし」を持つことについてはしかるべき敬意を示してよいと思う。

かつて本邦には「皇紀」という独自の暦があった。神武天皇の即位を元年とする暦である。でも、これは明治5年に制定されたかなり政策的な性質の暦法で、文化的な習慣としてはついに根づかなかった。われわれが皇紀で記憶しているのは、せいぜい「九七式」とか「零戦」というような軍用機の名称だけである。長く生きてきたが、自分の生年や主要な歴史的事件を皇紀で数える人には私は一度も会ったことがない。

この経験が教えてくれるのは、暦法を政治的配慮で発明することは可能だが、それが文化的な伝統として土着するかどうかは、時間が経たないとわからないということである。いまわかっているのは、皇紀は日本社会に根づかなかったが、一世一元制の元号は根づいたということである。

私の父は明治45年の1月に生まれた。明治は7月30日で終わるので、父は半年だけの明治人である。けれども「明治人」としての自己規定は89歳で死ぬまで揺るがなかった。初雪の日には必ず曇天を見上げて「降る雪や　明治は遠くなりにけり」と詠じた。明治というのがどういう時代であり、明治人とはどのような性格特性を共有するのかが決まったのは明治が終わってずいぶん経ってからである。それは明治人であることが自分のアイデンティティーの根にあると信じた人たちが、集合的に作り上げた「おのれの起源についての物語」である。同じことは大正についても、昭和についても行われたと思う。

私は自分のことを「昭和人」だと思っているけれど、「昭和的」という語が普通名詞化して、その含意が国民的に共有されるようになったのは最近の話である。居酒屋やバーに入って、「お、昭和だな」というような感懐が洩れることがある（紫煙がたちこめ、ロックが流れ、トイレの壁に演劇や映画の黄変したポスターが貼ってあるような店だ)。「昭和的」という形容詞の含意が確定するまでに昭和が終わって四半世紀ほどを要したということである。

「平成とはどういう時代でしたか?」という問いを去年〔2018年〕から何度も向けられた。そのつど答えに窮したけれど、窮して当然なのだ。それがわかるのはまだ何十年か先のことである。その頃にはもう私は生きていない。

ウチダ式ニッポン再生論——東北に優先して資源を集中させよ

システムの破綻を露呈した原発事故

東日本大震災をターニングポイントに——3・11の前後で日本は変わると思います。震災と津波ではなく、原発事故で変わる。天災では人間は変わりません。1995年の阪神・淡路大震災の後も日本社会は何も変わらなかった。もちろん発見はありました。被災者たちは支え合っていたし、ボランティアもがんばってくれた。日本って結構まっとうな国なんだなと知ってほっとしました。けれども、そのせいで日本のシステムが改良されたようには見えません。現に、2011年の震災と津波について、16年前の教訓が生かされたせいで被害が軽微で済んだと言う人はいません。

人間は失敗から学びます。でも、震災は天災であって、失敗ではない。原発事故は違う。これは人災です。ここから何を学ぶかは日本の未来にとって死活的に重要なことだと僕は思います。この人災から学ぶべきことを学べば日本に未来はある。学ぶべきことを学ばなければ、未来はない。それくらいに決定的なシステムの破綻だと思います。

これはシステムの破綻であって、個人の資質の問題ではありません。格別に愚劣で邪悪な人間がいて事故を起こしたわけではない。当事者全員が粛々と自らに割り当てられた職務を遂行していたにもかかわらず、というよりは「それゆえにこそ」これだけ大規模な災害が生じた。それは私たちが採用していたシステムそのものが本質的な欠陥を抱え込んでいるということです。

——「想定外」の津波で被害を受けた福島第1原発は放射性物質を撒き散らし続けている。原子炉を冷却するために水を注入するものの、その結果、放射性物質に汚染された水を海に流さざるを得ないジレンマを抱えた。原発の「安全神話」は建屋とともに完全に吹っ飛んでしまった。

東電は営利企業です。企業の本性として、いかにしてコストを下げるかをまず配慮するのは当たり前のことです。「想定外」の出来事を勘定に入れて備えをすれば、それだけ安全コストが増えて、企業の利益は減る。だから、設備の安全性を過大評価し、リスクを過小評価するのは、企業の体質なのです。それを責めても始まらない。そうではなくて、リスクと安全性を判断する仕事はもともと営利企業に委ねてはならなかったという自明のことを確認すべきなのです。

本来、電力会社といかなる利害関係も持たない専門家が純粋に専門的な見地から原発の安全な管理運営のルールを制定すべきであった。

でも、そのような「専門家」は機能していなかった。考えれば当然のことです。大学の原子力工学科を卒業した人間には電力会社に入るか、大学で原子力工学を教えるしか仕事がないんですから（その大学の研究費の多くを電力会社が負担しています）。原発のリスクを語ることは、学者たちにとって自身の「生計の道」を閉ざすことになる。「原発がなくなると失業する人間」に、原発の安全性について議論させること自体が間違っている。

クールで計量的な大人の議論なし

原子力はきわめてリスクの高いテクノロジーです。にもかかわらず、その管理運営にかかわっている人たちのほとんどが「原発のリスクを低く見積もること」から利益を得る立場にあった。これは属人的な無能や悪意の問題ではありません。そのような人間だけに管理運営を委ねたシステム設計のミスです。

他方に原発そのものを悪とみなす原理主義的な反原発派がいます。彼らはそもそも「原発の安全な管理運営」というトピックには興味がない。原発の安全操業のためにはどういうテクニカルな工夫がありうるのかという議論そのものが「まず原発ありき」を意味していると彼らは考えます。

そんなふうにして、「原発のリスク管理」についてはできるだけ考えたくない推進派と、「安全操業」にはまるで関心のない反対派だけが存在して、その中間がいなくなった。原発はきわめて危険なテクノロジーであるので、「いまここにある原発」のリスクを抑制するために最大限の技術的工夫をしなければならないという非教条的な、純枠に技術的な議論のための居場所がなくなってしまった。クールで計量的な知性による「代替エネルギー開発までのつなぎ方」や「段階的廃炉」といった「大人の」議論が主題的に論じられることがないままに事態がここまで来てしまった。

問題は多いが、いまはこれしか手元にないので、とりあえずそれを何とか使い延ばすというものは原発以外にもたくさんあります（国民国家とか代議制民主主義とか一夫一婦制とか）。いずれ廃棄するとしても、いま急にはできない事情がある。とりあえずは手持ちのものでなんとかやりくりしながら、一個ずつ部品を取り換えるように、時間をかけて全体を変えていく。そういう制度改良の知恵を日本人は失ってしまった。正しいか、間違っているか、イエスかノーか、all or nothing で問題を論じることに慣れて、日本人は常識的な現実感覚を失ってしまった。原発事故を生み出したのは、この幼児的な「善悪二元論」のマインドだと僕は思います。

――政治家、官僚、東京電力――いずれも日本社会のトップを構成してきた人や組織のはず。ところが、原発事故で東電は「安全神話崩壊」を受け止められず初動から動きを誤った。官邸は政治主導にこだわり、原子力安全・保安院は方向を見定められず、原発事故の収束は目処が立っていない。

日本のエリートたち、政治家も官僚も東電の経営陣も、まったく危機管理能力を欠いていたことが明らかになりました。繰り返し言うように、これは彼らが個人的に無能だということではなく、危機管理能力のない人間たちにシステムの管理運営を委ねるようなシステムを私たちが採用してきたことの帰結です。

想定外の危機にフリーズする受験秀才

エリートたちは受験秀才です。彼らの仕事は正解を答えることであり、誤答を嫌います。誤答をするくらいなら黙っている。でも、危機というのは「資源がない、情報がない、人員がない、時間がない」という状況のことです。そのような状況下で最適判断を求められると、受験秀才はフリーズしてしまう。そういう訓練を受けたことがないからです。彼らは決断するに先立って、その判断の法的根拠や上司からの指示や「言い訳」をまず探します。「このように判断したことには十分な根拠がある」という条件が整うまで、秀才は何もしない。その間に、もっとも貴重な資源である「時間」は不可逆的に失われてしまう。そして、危機とはまさに時間が失われるにつれて採りうる選択肢がどんどん減ってゆく状況のことなのです。

どのような組織にも、とっさの判断ができる人、危機耐性に強い人を適所に配備しておくことが必要です。それは組織論の基本です。

でも、現代日本のシステムはまったくそのようなリスクヘッジへの配慮を怠ってきた。逆に、「決断しない人間・上から指示があるまで何もしない人間・他の人間と違うものの見方をしない人間」だけを育成し、そのような秀才たちだけで、システムの中枢を埋め尽くした。

——危機対応を迫られるのは組織だけではない。原発から放射性物質が大気中に散り、首都圏では水道水から基準値を超える放射性物質が検出された。個人もリスクに向き合わざるを得ない。内田氏が震災の5日後にブログで綴った「疎開のすすめ」は波紋を広げた。「被災地への救援活動を効率的に実施するためにも、被災地や支援拠点となる東北関東の都市部から、移動できる人は可能な限り西日本へ移動することを勧めたいと思う」と呼びかけた。

安全なのか危険なのか、素人だから「わからない」というのが当然でしょう。「誰の言うことを信じていいかわからない」という情報環境に日本人は投じられました。どうしていいかわからないときには、直感的に自分で判断して行動するしかない。ことリスクに関しては、リスクを過大評価して失うものと、過小評価して失うものでは、失うものの桁が違います。「想定外のこと」が起こるかもしれないと思っている人間の方が、「想定外のこと」は起こらないと思っている人よりは生き延びる確率は高い。単純な話です。

原発の問題は長期戦になるでしょう。予想外の事態が起きて、首都圏から一斉に逃げ出すというようなことになったら、きわめて危険です。ですから、そういうパニックが起きたときに自助能力の低い、幼児や妊婦や老人と病人だけでも、とりあえず交通インフラが整っているうちに、安全な地域に「疎開」させた方がいいだろうと提言しました。東京は、東北・北関東の被災地救援の起点にならないといけない。そこが電気や物資が足りないというのでは話にならない。とりあえずは減らせるだけ人口を減らして、資源負荷を軽減すべきだと思いました。

ところが思いもかけないバッシングを受けました。「デマを流してパニックを煽るな」というのです。でも批判の最大の理由は「人が減ると、消費活動が鈍化するから」ということでした。僕は命のことを問題にしていたのですけれど、彼らは「金」のことを問題にしていた。これでは話が噛み合うはずがない。

――阪神・淡路大震災で被災し、いまも兵庫県に居を構える内田氏の目に映る首都・東京。日本の人口の10％を超える1300万人が集まり、近隣県を含めると首都圏で3分の1を占める。3・11を機に、首都機能と国土のあり方も問われているという。

震災で露わになったのは、首都圏のインフラがあまりに脆弱だということ。狭い場所に1000万人以上がひしめき、権力も財貨も情報も一極に集中している。「東京に行かないと商売にならない」ようにシステムが出来てしまった。

結果的に、東京が機能不全になると、日本全体が地盤沈下するようなリスクヘッジができないかたちに設計されてしまった。石原慎太郎東京都知事は知事選の初日に「東京が元気をなくしたら日本全体がダメになる」と言いました。そういうシステムは危険だという話ではなく、だから東京にさらに資源を集中しろというロジックでした。けれども、それがさらに日本の社会システムを危険にさらすことになるということにいい加減僕たちも気づくべきでしょう。

首都機能を地方に分散するというにとどまらず、東北の被災地へ優先的に資源を集中して、そこを日本再生の拠点とするというくらいの発想の転換がいまこそ必要だと思います。

学校の「安全神話」が起こす悲劇

「正常性バイアス」という言葉が時々紙面に載るようになった。自然災害や事故や事件に遭遇したときに、それを日常生活の延長上の「よくある出来事」と解釈して、リスクを過小評価する心的傾向のことである。顕著な事例としては２０１１年の東日本大震災のときの石巻市立大川小学校の事件や２０１４年の韓国のセウォル号事件がある。大川小学校では、「ここにいたら死ぬ」と裏山に逃げ出した生徒たちを教師が引き戻して、セウォル号では「船室から出るな」というアナウンスに従った生徒たちが、船が傾き出した後も避難行動を自制し、いずれも結果的に多くの死者を出した。

いずれも「学校」という制度の枠内で起きた事件である。こういう問題については、「責任者は誰だ」という他責的な問いについ引きずられがちだけれど、それ以上に「学校というのは正常性バイアスが過剰になる場所だ」という基礎的な事実についての理解を共有する方が重要なのではないかと思う。

学校というのはシステムを脅かすような危機的事態が出来（しゅったい）した場合でも、「よくある出来事だ。たいしたことはない。子どもたちの安全は守られている」という態度がつい支配的になる場所である。「危険ではないか」という懸念を「安全であってほしい」という願望がつねに凌駕（りょうが）する、そういう場所なのである。

それは学校が「どんなことがあっても維持されなければならない、人間集団にとって必須の制度」だからである。戦争や天変地異や世界的大流行（パンデミック）で社会秩序が崩壊しても、どんな難民キャンプでも、学校教育はすぐに復活する。

日々の衣食が足りれば、誰かが「学校を始めよう」と言い出す。勝手気ままに遊んでいる子どもたちを無理やり集めて、青空の下でも、黒板も机もないところでも、大人たちは子どもの教育に取りかかる。それは学校はあらゆる危機を生き延びて再生しなければならない制度だからである。子どもたちが生き延びて未来を支えるための知恵と力を育てる場だからである。だが、そのことが逆に制度の存立を脅かすほどのリスクを過小評価する態度を生み出す、ということはないのだろうか。

「教師はどんなことがあっても子どもの前で浮足立ってはいけない」というルールが

おそらく多くの教師には無意識のうちに内面化されている。だから、「こんな状態で学校教育なんかできるのか？」という周囲の不安に対して、つい「大丈夫です。できます」と答えてしまう。それは学校制度の抱える「業」なのだと思う。いじめ自殺の問題も、不登校の問題も、おそらく根はそこにつながっている。

私はことの良否を言っているのではない。学校とは「そういうものだ」ということを勘定に入れて、学校教育を扱わなければならないと言っているのである。

天皇というフィクション
「天皇主義者」宣言について聞く――統治のための擬制と犠牲

編集部注：２０１６年８月８日、当時の天皇陛下は「象徴としてのお務めについての天皇陛下のおことば」を発表され、高齢のため「象徴天皇」としての務めを担うことが難しくなっている旨を述べた。これを受けて内田樹氏は、この「おことば」が「象徴天皇」の役割をはっきりと述べた画期的なものであると高く評価し、現在の日本で象徴天皇制は「統治システム」として非常によく機能していると考えるに至ったと表明。同氏の「天皇主義者」宣言について、その真意を聞いたインタビュー。

フィクションとしての国家と天皇制

――「天皇主義者」宣言における内田さんの要点のひとつは、かつては両立し得ないと思っていた立憲民主制と天皇制が両立すると考えるに至った、という点にあると思います。

すなわち「祭祀にかかわる天皇」と「軍事にかかわる世俗権力者」という「二つの焦点」をもった楕円形の統治システムが望ましいとして、天皇制を肯定・評価した点にあると思うのですが。

その前提にあるのは国民国家も天皇制も政治的なフィクションだということです。国家とか民族とか人種とか、そういうものはすべて擬制であり幻想であると僕は考えています。でも、それらの幻想は厳然と存在しており、現実に活発に機能している。そうである以上、それらの政治的幻想の働きを勘定に入れて現実を分析し、できることと、なすべきことについて実践的に考えるほかない。僕はそういうプラグマティックな立場です。

あるべき国の形とか、あるべき天皇制といった理念が事前にあって、それに向けて現実を解釈したり、現実を修正するということを僕はしません。逆です。所与の現実から出発する。どのような歴史的経緯でこのような現実が出来したのか、この現実のどこが修正可能・加工可能なのか、どこは手を着けられないのか、どこをどう補正すればこの社会が少しでも暮らしやすいものになるのか、そういうことを考える。

今回「天皇主義者」という名乗りをしたのは（実際に「天皇主義者」という言葉を使ったのはインタビュアーの方なんですけれど）、それをきっかけに天皇制という難問について日本国民が考え始めてくれることを期待したからです。

天皇制が日本国憲法内部のシステムである限り、僕たちは主権者として、それがどのようなものであるべきかについて発言する権利があり、義務がある。誰かが僕たちに代わって考えてくれたり、決定してくれたりするものではないというのが僕の立場です。

――つまり天皇が祖霊の祭祀と国民の安寧を祈る「霊的行為」を担っていて、そのもとに集う国民が「霊的な共同体」であるというのも、内田さんが提案するフィクションだということですね？

そうです。

――なるほど。ただそういうフィクションがほんとうにうまくいくのかという懸念は出てきます。たとえばキリスト教では、霊的な共同体としての教会と世俗の統治機構である国家との関係は常に問題になってきました。そしてひと言でいえば、国家は教会になってはいけないし、教会は国家になってはいけないという原則に至っています。しかし内田さんのように天皇制を霊的な統合の形としてみると、国家と「天皇教」のようなものがぴったり重なってしまわないでしょうか。

「天皇教」という宗教体系は存在しないと思います。天皇制それ自体にははっきりした宗教性がないから。現に、古来、天皇や皇族が出家して、さまざまな宗派の門跡となっていますし、天皇家の墓陵のいくつかはいまも寺院の中にあります。美智子妃はミッションスクールのご出身ですから、陛下もキリスト教的なものの考え方に親しんでおられる。日本国民がこれだけ多様な宗教的立場にばらけている以上、陛下ご自身が特定の宗教の信者であるということはできないでしょう。さまざまな宗教的立場を広く受け容れられるように努められていると思います。

特に陛下はキリスト教に親近感を覚えていると僕は考えています。皇室の方たちは選挙権や被選挙権を持たず、言論の自由や移動の自由、職業選択の自由など基本的人権を制約された例外的な存在です。でも、おそらく陛下はそのような「犠牲者」がいてはじめて共同体が存立するというふうに考えておられる。一人が自己利益を断念して、犠牲になることによって共同体が成立するという発想はすぐれてキリスト教的な発想です。いまの陛下が戦後七十数年考えて作り上げた「祈る人」という象徴天皇像にも多分にキリスト教的なアイディアが入っていると思います。だから、日本のキリスト教徒は陛下にもっと親近感を感じてもいいんじゃないかと思いますけど。

——ただ、内田さんが今上天皇に見出している象徴天皇像はあくまでも彼個人のものではないのですか。天皇が変わればその天皇理解も変わるはずです。内田さんが「自分は天皇主義者だ」と表明されるとき、それは今上天皇個人を支持するという意味なのか、それとも天皇がどのような人物であろうとも天皇制という制度自体を支持するという意味なのか、どちらなのでしょうか。

厳しい質問ですね。いまの天皇制はうまく働いていると僕は思いますけれど、それは今上天皇の属人的な資質によるのか、制度そのものの手柄なのか、にわかには断定しがたい。でも、天皇制を天皇の属人的資質を捨象して、純粋な制度として抜き出して論じるということはできないと思うんです。近代天皇制はそれ以前の天皇制とまったく別物です。まして日本国憲法下の天皇制になると昭和と今上の二代の事例しかない。それだけのサンプル数で「天皇制とは何か」を人的要素抜きの制度として論じることは不可能だと思います。

たしかに陛下と浩宮殿下のお二人は天皇制と立憲デモクラシーをどう共生させるかについて熟慮されていると思います。でも、その先はどうなのか。その次の天皇もこのお二人と同じように立憲デモクラシーと天皇制の共生に配慮するか問われたら、「わからない」と答えるしかない。ほんとうにわからないんですから。

でも、現実に憲法下のシステムとして天皇制がある以上、それをどういうかたちのものとして機能させるかは、皇室の方々を含めて、国民全員で考えるしかない。とりあえず当代と次代については、幸いにも天皇制と立憲デモクラシーの共生を配慮する「明君」に僕たちは恵まれた。ですから、あと何十年かは天皇制が「暴走」するリスクは考えなくてもよい。その間に象徴天皇制と立憲デモクラシーをどう整合させるか、この二つの相容れざる政治原理をどう共生させるか、その仕組みを考える時間は十分にあると思います。

――そうやって日本の統治システムを考えていく際に、天皇制なしの共和国というあり方は選択肢にならないでしょうか。

天皇制を排除した統治システムを構想することは現実的には不可能だと思います。改憲して、天皇に関する条項をすべて削除しようと提案をする政党が出てきたとして、その提案が国民の過半数の賛成を得ることはできないと思います。

そもそもモデルとすべき「成功した共和制政体」を僕たちは知りません。アメリカをモデルにしたらいいのか、フランスやドイツをモデルにしたらいいのか。それらの国の統治形態が「理想的」だと言い切ることができるのか。僕にはできません。

僕自身は共和制には歴史的必然性があると思っています。でも、日本には天皇制がある以上、それを所与の条件として勘定に入れなければならない。となると、どうすれば共和制と天皇制という二つの異なる統治原理が併存できるのかを考える、二つの異なる統治原理が併存していることから引き出せるメリットを最大化するためにはどうすればいいのかを考える。その方が時間の使い方としては合理的だと思います。
僕は異なる統治原理が併存しているシステムは、焦点が二つある楕円のようなもので、単一原理で統合された同心円的な統治形態よりも自由度が高く、共同体が生き延びる上では有効ではないかと思っています。

象徴としての天皇はどうあるべきか

――内田さんが象徴天皇の役割を死者の「鎮魂」と「慰藉」に見ていることについて、もう少し伺いたいと思います。昭和天皇の戦争責任を考えれば、同じ「天皇」である平成の天皇に戦争で犠牲となった人々の「鎮魂」や「慰藉」などしてもらいたくない、と感じる人もいるのではないかと思いますが、そのあたりはいかがでしょうか。

そうですね、そういう感じ方をする人もいると思います。どんなシステムも政策も国民全員が賛同するということはあり得ません。僕は１００パーセントの国民的合意なんて求める気はありません。すべての統治システムはどこかに欠点を抱えている。

だから、そこそこ機能すれば合格点、と思っています。天皇制についても、立憲デモクラシーについても、「そういうのはいやだ」という考え方をする人たちがいる。いて当然です。全国民が同じ政治的意識を持つことなんか期待すべきではないし、そうでなければ機能しないような統治システムなら、それは制度設計そのものが間違っている。大方の人が「同じくらいに不満足」であるシステムが実現できたら上出来だと思っています。

――そのシステムとして天皇制が一番ふさわしいということですか。

一番ふさわしいも何も、「手持ち」のリソースしか僕たちは使えない。天皇制以外の仕組みをどこかから取り寄せて、アッセンブリーごと取り替えることが可能なら、「どういうシステムがいいだろう」という議論もありうるでしょうけれど、取り外し、天皇制は日本の統治機構にビルトインされていて、取り外し不可能なわけです。取り外し不可能である以上、どうすればそれが最高のパフォーマンスを発揮するのかを考えるしかない。

——天皇の「鎮魂」に関しては、もうひとつ懸念があります。「鎮魂」をするということは一人ひとりの死の意味付けをしていくことだと思いますが、それは国家の一部としての天皇がすべきことではないと思うんです。鎮魂というより、戦争で命を奪われた人々に対する謝罪をすべきなのではないかと。

陛下は戦争で死んだすべての人の鎮魂をされていると思いますよ。2年前（2016年）のフィリピン訪問に際しての「おことば」では、「先の戦争において、フィリピン人、米国人、日本人の多くの命が失われました。中でもマニラの市街戦においては、膨大な数に及ぶ無辜(むこ)のフィリピン市民が犠牲になりました」とまずフィリピンの犠牲者たちへの弔意を示された。陛下は日本国民だけでなく、戦争によって傷ついたすべての人の魂の平安を祈るということを意識的にされていると思います。

だから、いまの安倍政権は本音では、陛下が東アジアのかつての戦地を訪れて、現地の被害者にお詫びをするようなことはしてもらいたくないんじゃないですか。彼らがしようとしているのは実質的には象徴天皇制の空洞化です。天皇を単なる記号にしたいと思っている。日本会議や神道政治連盟がめざしているのは天皇制の空洞化です。

「恐れ多くも畏きあたりにおかれては」という文句を恫喝の道具として使って、反対者を黙らせようとしている。

――そこに危機感を覚えておられるわけですね。ただ、原則的に象徴天皇は単なる記号であるべきという考え方もありますね。

　いや、もし天皇が単なる記号であったら、政治家たちはあらゆる手立てを駆使して、「天皇という記号」を私的な目的達成のために利用しようとするはずです。それは維新のときに天皇を「玉」と呼んだ官軍や、二・二六事件の青年将校たちの天皇批判や、終戦時の宮城事件の「國體護持派」の思想からも知れると思います。あのような「暴走」事例を知っている以上、天皇が自分の個人的な所感を発言する機会は絶対に担保されるべきだと僕は思います。天皇が生身の人間であり、傷つく心と身体を持っているという事実がむしろ政治的暴走を抑制できるのだと思います。

――しかしそうすると、天皇制がどう機能するかがその時々の天皇の人間性に左右されてしまいませんか。

そうです。でも、天皇の属人的な要素が強く働く方が、天皇が内閣が振り付けたこと以外何もしない記号的な存在であるより、政治的混乱を招くリスクが少ないと僕は考えています。

繰り返し言うように、天皇制も一つのリアルな政治的装置です。うまくゆかない点が出てきたら、どうすればいいか国民的に議論して、そのつど適切な対応を取ればいい。完全なものを作って、後は手を触れないということではなくて、そのつどの現実的問題に合わせて調整してゆけばいい。どんな政治的制度も、もとは人間が考え出したものです。それをどう工夫して、よい結果を出すか、それだけが重要なのです。どれほど見事な制度を設計してみても、実際に使うのは人間です。制度を働かせるためには人間の弱さや愚かさや頑なさを勘定に入れなければならない。どんな合理的な制度でも、人間がそれを受け入れてくれないと機能しないからです。その意味では、すべての制度は半分生き物、半分機械の「バイオメカノイド」のようなものです。どれほど合理的なアイディアでも「受肉」しなければ空論に終わる。逆に、どれほど非合理的、空想的な理念でも、人間がそこに生気を吹き込めば働く。

対抗言説としての「天皇主義者」宣言

——いまも述べられたように、内田さんは安倍政権や日本会議への危機感を強く感じておられて、彼らがツールとして天皇制を用いることを危惧している。そして、同じ天皇制というツールを用いて彼らに対抗しようとしているように見えるのですが。

厳しいご指摘ですね。でも、そうです。もともと、僕は天皇制のことを主題的に考えたことなんかなかった。でも、安倍政権になって、これはまずいと思い出した。極右の人たちが天皇制を党派的に利用するのを手をつかねて見ているわけにはゆかない。天皇制を左翼・リベラルの側にとっても緊急な政治的論件として「とりもどす」必要があると思った。そういう現実的な文脈の中の発言ですから、「あなたも天皇制をツールとして利用しているのではないか」と言われたら、反論できません。

ただ、僕にはその「犯意」と「病識」がある。正義や真理を語っているわけではなく、「日本社会はどうすればもう少し暮らしやすいところになるか」という具体的で限定的な目標を実現するためにやっているという自覚がある。それでご勘弁頂きたいです。

たとえば、いま改憲の動きがありますけれど、最終的に改憲を防ぐのは国内にある護憲運動ではなくて、ホワイトハウスと天皇ではないのかという気が僕にはするんです。まことに皮肉なことですけれど、日本の立憲デモクラシーはそれほどに脆弱な制度だということです。護憲の最後の砦が、憲法尊重擁護義務を粛々と果たしている天皇陛下であるという事実一つをとっても、天皇制の問題は左翼・リベラルにとって他人事では済まされないはずなんです。でも、日本の左翼は天皇制をどう「よきもの」として活用するかということについてはかつて一度も真剣に考えたことがない。旧弊な因習は廃止すればいいというような原則的なことを言うだけです。天皇制を功利的に活用する手立てについて経験知を積んでいるのは政権サイドの方です。

僕自身は天皇制を「ツール」だとは思っていない。「リソース」だと考えています。国民を統合し、国力を賦活（ふかつ）させるための効果的なリソースだと思っています。僕の「天皇主義者宣言」というのは政治的なふるまいであって、信仰告白ではないんです。

――では、内田さん自身は天皇に対する敬虔（けいけん）な気持ちや忠誠心のようなものは実際にはないということですか。

個人的には崇敬の気持ちはありますよ。陛下の近くにいた人たちに伺うと、みなさん「陛下はよい方で……」と言われますから。そういう人たちが口にする「へいか」という音はとても柔らかいんです。政治家たちが「陛下」という言葉を使うときはあきらかに天皇の権威を利用して人を威圧しようとする意図が見透かせるんですけど。前に皇居のお掃除に行った青年から聞いたんですけれど、清掃奉仕をしていると両陛下がいらして「ご苦労さまです」と深々と頭を下げるそうなんです。その若者はそのとき「首相のために死ぬ気にはなれないけれど、陛下のためなら死ねる」と思ったそうです。若い人でもそういう感慨を抱くことがある。でも、それは必ずしも政権主導のイデオロギー教育のせいじゃないと思います。もっと素朴で、自然な感情なんだと思います。そういう感情を「政治的リアリティ」として勘定に入れる必要があるということを僕は申し上げているのです。

彼にとって天皇陛下という存在が、具体的に目に見える、手に触れられるたぶん唯一の公共的なものなんです。国家にも政府にも、さしあたりリアルな公共性を感じられない。でも、天皇は生身の、目に見える公共性なわけですね。公共的なものとつながりを持ちたい、自分の個人の努力と国運をリンクさせたいという願いを抱いている若者はいまもたくさんいると思います。そういう人たちがネトウヨに走ったりする。でも、公共的なものは他にもあるよと僕は言いたいわけです。

――なるほど。ただ、たとえばネトウヨの悪質さのひとつはその強いレイシズムです。そして天皇制というシステムこそが民族主義的な発想を強めて、「純粋な日本民族」といった幻想を作り出している面もあるのではないでしょうか。

そういう危険性はあるでしょうね。現にかつて天皇制の名において人種差別的・排外主義的な政治が行われてきたという歴史的事実があるわけですから。でも、いまのネトウヨの人たちは自分たちのレイシスト的言動の保証人に天皇を呼び出したりはしませんよ。彼らの政治的正しさの保証人は安倍首相ですから。

――ネット上では日本の皇族（天皇家）が世界の皇族の中で一番歴史が古くて純粋な血を守ってきた、だから高貴なのだという言説を見かけることもありますが。

それは言っている人間が自分の政治的立場を強化するために思いついた嘘なんですから、そんなプロパガンダの製造責任を天皇におしつけては気の毒ですよ。

――けれどシステムとして世襲制度を取る限り、そういう「純血」の発想を支えてしまう危険はあるのではないでしょうか。そもそも特定の血筋の人を「高貴」として民衆の上に置く天皇制は「人は生まれながらにして自由であり、尊厳と権利について平等である」という世界人権宣言の原則に反していませんか。

平等を目指すのは正しいことだと思いますけど、僕は「高貴さ（ノブレス）」というものもまたなくては済まされないと思っています。マルクスは、すべての人間が平等である社会をめざす戦いを先導したのは「自分を犠牲にして歴史的大義のために死ぬ」ことを決断した非利己的な人たちだったという逆説について書いています。人は誰も平等であるべきですけれど、その理想を実現するためには「自分には他の人よりも多くの責務がある」という自覚を持つ人間が要る。貴賤の差のない世界を実現するためには「ノブレス・オブリージュ（高貴であることの責務）」を感じる人が要る。自分には他の人より多くの責務があると感じる人がいなければ、この社会を住みやすいものにすることはできません。

——最後にもうひとつ。いままでお話を伺って、内田さんが完成された完璧な統治システムなど存在しないという前提のもと、より「ベター」な統治の方法を継続的に探していこうという姿勢を保っておられることがわかりましたが、「統治」や「統合」はやはりどうしても必要なのでしょうか。

僕の抱く「統合」のイメージは中枢的なもの、同心円的なものではありません。サイズも機能も異なる無数の共同体がネットワークでつながっていて、相互扶助・相互支援する仕組みを僕はイメージしています。でも、地球に住む70億人をカバーする相互扶助の仕組みというのは設計不能なんです。どこかで境界線を引いて、「こっちは身内、あっちは他人」という切ない区切りをしなければならない。それが相互扶助ネットワークの根本的な背理です。どこかで「ここまで」という区切りをしないと、限りあるリソースを有効に分配してゆくことができない。でも、そのことについては「疚しさ」を感じるべきだと思います。

北欧の社会福祉が行き届いて、相互支援の仕組みがしっかりしているところはどこも小国ですよね。日本の県ほどのサイズです。それくらいの小ささだと、自分たちがどれほどのリソースを持っているのか、どこにどう配分されて、どういう成果をもたらしたかということが可視化できる。「身内」の範囲が狭いほど相互支援はこまやかで密になる。それは当たり前のことなんです。住みやすい社会は「身内」の数を限定することで実現されている。それについていくばくかの「疚しさ」を感じることが必要だということを申し上げているのです。

僕はアナキズムも大好きで、クロポトキンの『相互扶助論』なんか読んでいると「いい人だな、身近にいたら友達になって、一緒に革命やりたいなあ」と思います。でも、アナキストたちは、人間は本質的に善であり合理的に思考するという「性善説」に立つんです。だから、ことごとく失敗した。国家サイズの統治システムの管理運営のためには、どこかで「非人情」に切り替える必要がある。クロポトキンやロバート・オーウェンが目指したような手触りの優しい相互扶助的な共同体を作りたいと思ったら、せいぜい数千人規模の共同体で満足するしかない。国家的規模で「よいこと」を達成しようとしたら、マキャヴェリのような「性悪説」に基づく、政治的狡猾(こうかつ)さを駆使するしかない。

――その戦略のひとつとして「天皇主義者」宣言があるわけですね。お聞きしたいことは尽きませんが、内田さんの提起を受けて天皇制や国家、それを超える枠組みについて考え、応答していくことができればと思います。今日はありがとうございました。

ニッポン「絶望列島」化——「平成」の次を読み解く

無慈悲で不人情な社会へ

平成という時代が2019年4月で終わることが決まった。

元号が変わることについてある媒体から「元号はこれからも必要なんでしょうか？」と訊かれた。元号を廃して、西暦に統一すればいいと主張している人がいることは私も知っている。でも、それはいささか短見ではないかと思う。

別に日本の固有の伝統を守れとか、そういう肩肘張った話ではなく、時間を時々区切ってみせることは、私たちが思っている以上に大切なことのように思えるからである。

私の父は明治45年1月の生まれだった。明治は7月30日に終わるので、父は半年だけの明治人であった。けれども、「自分は明治の男だ」というアイデンティティーはずいぶん強いものだったように思う。

私が子どもの頃、父は折に触れて「降る雪や明治は遠くなりにけり」という中村草田男の句を口ずさんでいた。それはおそらく父が戦後の日本社会について「ここは自分の本籍地ではない」という異邦感を抱いていたからだと思う。その「時代との齟齬（そご）感」が父の世代に独特の反時代的な批評性を与えていたように思う。

その反時代性（たとえば、SFを「荒唐無稽」と一蹴し、ロックを「騒音」と切り捨てるような風儀）は彼の個性というよりはかなりの部分まで「明治の男はかくあらねばならない」という外形的なしばりのせいだった。そのせいで彼らは不自由をかこちながら、一方では「ある時代に帰属していることの安心感」を享受してもいたのではないかと思う。

漱石の『虞美人草』の登場人物である宗近君の父は、小説の中では若者たちから「天保老人」と綽名（あだな）されている。おそらく江戸時代の武士のたたずまいを明治の聖代に遺していたのであろう。明治40年頃の読者たちは、その語によってある年齢の老人については輪郭の鮮明な、解像度の高いイメージを抱くことができたのである。「大正デモクラシー」も「昭和維新」も、元号抜きにはそれほどの強い喚起力を持つことはなかったはずである。

元号のない国もそれに代替する自分たちだけの時代の区切りを持っている。イギリス人は時代を王位で区切る。だから、「ヴィクトリア朝風（Victorian）」には「旧式で、融通が利かず、上品に取り澄ました、装飾過剰の」といった一連の含意がある。

エドワード7世の在位は1901年から1910年までのわずか10年だったけれど、形容詞「エドワード朝風（Edwardian）」は「物質的豊かさに対する自己満足と華美絢爛」という固有の語義を持っている。

アメリカは10年で時代を区切る

フランスでは装飾様式の変遷と政体の転換をセットにして、「ルイ16世様式」「総裁政府（ディレクトワール）様式」「帝政（アンピール）様式」といった細かい区分を行う。

王の交代も政体の転覆も経験していないアメリカは仕方がなく「狂騒の20年代」とか「50年代ファッション」とか「60年代ポップス」とかいうように10年（decade）で時代を区切る。10年単位で人間の生き方が変わるとも思われないが、これが変わるから不思議である。

アメリカ人もたぶん「もうすぐ○○年代も終わるから、そろそろ新しいことをしないといけない」というふうな変化への無言の圧力を感じるのだろう。

だから、「世界は西暦で度量衡が統一されており、日本だけが元号のような時代遅れの陋習（ろうしゅう）を維持している」と断定するのはいささか気が早いと思う。人間はいろいろなしかたで時間を区切る。区切らないと落ち着かないからそうするのだ。

そして、区切ってみせた後に、あたかもそこに決定的な時間的断絶が存在したかのように、区切りの前後でふるまいを変えてみせる。まず区切りをつけてから、事後的にその区切りに「リアリティ」を賦与（ふよ）するのである。

先に「ある時代に帰属していることの安心感」と書いたけれど、人間は型にはまることで「ほっとする」ことがある。そういう生き物なのだ。良い悪いを言っても始まらない。

以上が元号についての私見である。その上で平成の30年間がどういう時代だったかを総括してみたい。それについてこんな仮説を立てた。それは過去30年間で何がどう変わったのかを見て取るためには、時間軸をもう30年先に延ばして、前後60年の幅を取る必要があるのではないかということである。

つまり、いまを「折り返し点」と想定して、「これまであったこと」の回想と「これから起きること」についての予測に等分に知力を分配するのである。そうしないと、人間はうまく知恵が働かないのではないかという気がしたのである。そういう気がするだけで、何のエビデンスもないが、平成の終わりに同期するように「いまから30年後の日本はどうなっているのか？」という想像力の使い方をする人が出て来たのは事実である。その一人が橋本治である。

「こんな日本」にしたのは私たち

橋本治は『九十八歳になった私』（講談社）という「近未来空想科学私小説」を書いた（大変面白い本だった）。その中で、橋本治は98歳になって、まだらに惚けが入ってきて、足腰が立たなくなって、生活保護を受けながら、「原発が二個壊れて、CO_2出せないから火力発電もだめで、電気がそんなに通ってないから、パソコンもそうそう使えない」北関東の「東京大地震」の被災者住宅で、空から襲ってくるプテラノドンに怯えながら暮らしている（遺伝子工学の暴走によって30年後の日本は局所的に「ジュラシック・パーク」化しているのである）。

その日常を活写した小説の「あとがき」に橋本はこう書いている。

「『三十年後の近未来』を考えたら、今や誰だって絶望郷（ディストピア）だろう。そのことを当然として、みんなよく平気でいられるなとは思ったけれど、『じゃ、どんなディストピアか？』を考えたら面倒臭くなった（中略）『ディストピアを書くったって、現在の自分の立場を安泰にしておいて、暗い未来を覗き見るんだろう？ それってなんか、フェアじゃないな』と思い、『そうか、自分をディストピアにしちゃえばいいんだ』というところへすぐ行った」

橋本はここでとても大切なことを書いていると私は思う。それは「現在の自分の立場を安泰にしておいて」なされる未来についての想像は「フェアじゃない」。だから、同じように「現在の自分の立場を安泰にしておいて」なされる過去の回想も「フェアじゃない」のだと思う。

過去30年を振り返るとしたら、「こんな日本に誰がした」というような言葉づかいは自制すべきだろう。他ならぬ私たちが「こんな日本」にしたのである。同じように30年後の日本について語るときも、それが絶望的な見通しであればあるほど、その社会でリアルに苦しんでいる老残の自分をありありと想像した上で、「そうなることがわかっていながら、止めることができなかった」私自身を責めるべきなのだ。

30年後のディストピアについての暗鬱な予言をもう一つ紹介する。アメリカの投資家ジム・ロジャーズの日本経済について語ったものである（週刊現代　２０１７年12月16日号）。

「日本はいまＧＤＰの２４０％、じつに１０００兆円を超す巨額赤字を抱えています。そのうえ、猛烈なペースで進む人口減少社会に突入してきたため、とてもじゃないがこの借金を返済することはできない状況になってきました。このままいけば、30年後に40歳になる日本人には、老後を支えてくれる人もカネもない。いま日本人の10歳の子どもが40歳になる頃には、日本は大変なトラブルを抱えていることでしょう」

２０５０年の日本の人口予測は９７００万人。現在が１億２７００万人であるから、

3000万人、つまり年間約100万人の減である。仙台や千葉サイズの市が毎年消滅する計算である。日本の国土面積は38万平方キロ、いまはそのうち10〜12万平方キロに人が住んでいるが、2050年にはその20％が無住の地となり、60％で人口が半減する。無住の地は国土の62％に及ぶ。

「居住不能地」は広がるばかり

国交省や総務省はこういった非情緒的なデータは公開するが、どういうプロセスを経て無住地が広がるのかについては具体的な描写を控えている。現実に起こるのは、政府も自治体も行政コストを負担できなくなり、交通網、上下水道、ライフライン、警察、消防、医療、教育機関など「それなしでは暮らしていけないインフラ」が過疎度の高いエリアから順に廃絶されるということである。

「採算が取れない」という理由で鉄道を廃線し、道路や橋梁（きょうりょう）やトンネルの補修に予算をつけず、病院や学校を撤収すれば、その地は事実上居住不能になる。すでに過疎地の切り捨ては全国で始まっている。

いまのところ都市住民は無関心を装っているが、過疎化切り捨ての波は遠からず地方都市にも及ぶ。そのときには今度は地方都市住民たちが「文明的な生活をしたかったら、首都圏に移住しろ」と告げられることになる。

「無駄なコストで財政を圧迫するのだから過疎地には住むべきではない」というロジックにひとたび同意したら、同じことをより人口密度の高い地域の住人から冷たく告げられたときにもう反論できない。この言い分に一度同意したら「それっきり」なのである。「無住の地が62％」になるというのは、そういうことである。

先に引いた投資家の言う「大変なトラブル」の一つはこれから後「無慈悲で不人情な社会」が行政主導・メディア主導で創り出されてゆくだろうということである。

それについての危機感がいまの日本人には感じられない。だから、この暗鬱な予測は高い確率で実現すると思う。

年初早々、気鬱な話で申し訳ないが30年後の日本についてはまだ書き残したことがあるし、そもそも平成の30年を総括するはずだったのに紙数が尽きた。

続きは次の機会に。

再びアメリカに敗れた日本――「平成」を総括

「落ち目」の30年

２０１７年末に平成の30年を総括してほしいという原稿を頼まれたが、私が書いたのは「これから後『無慈悲で不人情な社会』が行政主導・メディア主導で創り出されてゆくだろう」ということだけだった（サンデー毎日　２０１８年１月21日号＝本書２６４頁参照）。

新年早々に気鬱な話を読ませてしまって、読者の皆さんには申し訳なく思う。でも、ほんとうにそう思っているのだから仕方がない。

過去の総括を求められたのに、これから日本を待ち受けるディストピア的未来について書いたのは、「これまでの30年を総括するためには、これからの30年を予測して、前後60年のスパンでおおまかな趨勢を見る必要がある」と考えたからである。今回はそれを踏まえて、過去30年間の総括をしてみたいと思う。

率直に言えば、1989年からの30年間は日本にとって「落ち目」の日々だった。そして、この長期低落傾向はこれから先も止まることがないと私は思っている。「落ち目」とは具体的にはどういうことなのか、そして、なぜそれは「もう止まることがない」と私が断言できるのか、それについて思うところを書き記したい。

「勤労」と「誠実」に泥を塗ったバブル経済

1989年、昭和が終わり平成が始まった年にベルリンの壁が崩壊して戦後40年余にわたって続いてきた世界理解の「枠組み」が失効した。東西冷戦構造というのは重苦しく、血なまぐさいスキームではあったけれど、わかりやすい構図だった。さまざまな政治的出来事は「資本主義対共産主義」「アメリカ対ソ連」「右翼対左翼」という対立構図の中でだいたい説明できた。その構図で説明することが不適切なイシューであっても、それで説明がついた。その意味ではシンプルな時代だった。

１９９０年代に、その「大きな物語」が失効した。もう、「大きな物語」は使い物にならない。そんなもの、要らない。人々はそう思ったし、口にもした。その頃、「ポストモダン」という言葉がさまざまな文脈で使われたが、定義のはっきりしないその語に人々が託したのは「万人共通の世界理解の枠組みとか判断基準は失効した。これからは、みんな好きな仕方で世界を見て、好きな仕方で世界を切り取ればいい。国家のことも、共同体のことも、公共の福祉のことも私は与り知らない。ほっといてくれ、好きにさせてくれ」といういささか投げやりな気分であった。

それは日本ではまさにバブル経済の時代だった。ご記憶だろうが、あの時代、人々は株の売り買いと不動産の売り買いに狂奔した。高校のクラス会で最初から最後まで同級生たちが株と不動産の話しかしていなかった年のことを覚えている。私はどちらとも無縁だったので話題から離れていた。

するとひとりの同級生が「内田は株をやらないのか？」と訊いてきた。「しないよ。金は額に汗して稼ぐものだろう」と答えたら、満座の爆笑を誘ってしまった。

「内田、お前はバカか。金が道に落ちているんだぜ。しゃがんで拾えばいいだけなんだ。お前はしゃがむのがそんなに面倒なのか？」と意地悪く切り立てられて答えに窮したことがある。

どこに金が地面から生えている国があるものか。いずれ誰かの懐から落ちたものだろうと思ったが、言っても相手にされないと思って黙っていた。それから数年して、多くの日本人が懐の中身を地面にぶちまけてバブル経済は終わった。

バブル経済とその瓦解が日本人の心根にどういう影響を与えたのかについての学術的な分析があるかどうか私は詳らかにしない。だが、その経験が日本人の心の深いところで「純良なもの」「無垢なもの」を損なったということは直感的にわかる。相当数の日本人がその数年の間におそらく生涯で最も陽気で蕩尽的な日々を送った。それが勤労によってではなく、一日何本かの電話のやりとりだけで手に入ったという事実は想像以上に深い傷を人に残したと私は思う。

一つには、「額に汗して働き、真面目に生きていると、そのうちいいことがある」という素朴な条理に対する信頼が傷つけられたからである。紙くずを高値で売り抜けた人間がこの時代で最もクレバーな人間だと見なされた。しかし、バブルの崩壊はもう一つ、勤労への信頼の喪失よりももっと深く、致命的な傷を日本人に残した。そんなことを言う人を私は自分の他に知らないけれど、それは「国家主権を金で買い戻す」という国家戦略が不可能になったということである。わかりにくい話なので、これをご理解頂くためには少し説明をさせて頂きたい。

戦後日本の国家戦略は、一言で言えば、「対米従属を通じての対米自立」というものだった。敗戦国にとっては占領国＝宗主国アメリカに徹底的に従属して、同盟国として信頼される以外に国家主権の回復と国土回復の方途がなかったのだから、この選択には必然性があった。現に、昨日までの敵国に拝跪（はいき）することで日本は１９５１年にサンフランシスコ講和条約で形式的主権を回復し、１９６８年に小笠原を、１９７２年に沖縄を領土回復した。だから、その時点まで「対米従属を通じて対米自立を果たす」という国家戦略はそれなりに有効だったのである。そう評価してよいと思う。

しかし、朝鮮戦争特需、ベトナム戦争特需というアメリカの戦争への加担によって追い風を得て、経済力においてアメリカの背を追うようになった日本人の頭の中に、１９８０年代のある時点で、ふと「徹底的な対米従属以外の選択肢」があるのではないかという夢想がかたちを取った。

もともと１９６０年代以降の高度成長期を担ってきたのは戦中派世代である。彼らを駆動していたのは「次はアメリカに勝つ」という敗戦国民としてはごくノーマルな「悲憤慷慨」の思いであった。

そして物語は喪失する

江藤淳はプリンストン大学に籍を置いていた数年後の1968年に中学の同級生とニューヨークで邂逅するが、商社勤めのその友人は酔余の勢いを借りて江藤にこう言う。

「うちの連中がみんな必死になって東奔西走してるのはな、戦争をしているからだ。日米戦争が二十何年か前に終ったなんていうのは、お前らみたいな文士や学者の寝言だよ。いいか、完全にナンセンスな寝言だぞ。これは、経済競争なんていうものじゃない。戦争だ。それがずうっと続いているんだ。おれたちは、それを戦っているんだ。今度は敗けられない」(『エデンの東にて』)

ここまで過激な表現を取らないまでも、1970年代まで現役だった戦中派ビジネスマンたちには「アメリカと経済戦争をしている」という自覚は無意識的には共有されていたはずである。

この対米ルサンチマンは、バブル期に広く人口に膾炙した「日本の地価の合計でアメリカが二つ買える」という言葉にもはっきりと反響していた。当時、経済力で宗主国を圧倒し、「金で国家主権を買い戻す」という途方もない夢がいきなりリアリティを持ったのである。1989年に三菱地所がマンハッタンの摩天楼ロックフェラーセンターを、ソニーがコロンビア映画を買収したのはその無意識的な願望の表出である。バブルの崩壊は日本人にさまざまな傷を残したけれど、誰も口にしない最も深い傷は「国家主権を金で買い戻す」という一場の夢がかき消えた失望がもたらしたものだったと私は思う。

アメリカからの政治的独立を「金で買い取る」というのは、表向きは「対米追従」姿勢を貫いたまま、事実上の「対米自立」を果たすという点では伝統的な国家戦略と背馳するものではなかったが、国家主権を「懇願して下賜される」のと「札びらで頬を叩いて買い戻す」のでは、こちらの気分に天地ほどの開きがある。これは日本人がおそらく世界で初めて思いついたオリジナルでトリッキーなアイディアだった。そんなことを言う人を私は自分以外に知らないが、バブル期の国民的熱狂のうちの一部は間違いなくこの「有史以来一つの前例もないアイディアを日本人が自力で思いついた」ことのもたらす高揚感だったと私は思っている。

そう考えると、バブル崩壊後の「失われた20年」という言葉に込められた深い脱力感が理解できる。それは単に金がなくなった、貧しくなったという話ではない。戦後半世紀日本人が信じてきた「額に汗して、真面目に働くことで少しずつ暮らし向きがよくなり、世の中が明るくなり、国富が増大し、ついにはアメリカから国家主権を回復して、晴れて主権国家に立ち戻る」という個人と集団を一つに結びつける「シンプルな物語」が失効したということを意味したからである。

それは、個人のレベルでは、勤労や正直や誠実や連帯といった徳目に対する素朴な信頼が失われたということであり、集団のレベルでは、一人一人の真率な努力がついには国力の向上に繫がるというイノセントな夢が消えたということである。

自由闊達な論が突破口に

人間が「落ち目」になるのは、単に金がないとか、健康状態が悪いというような理由からではない。これからどう生きればよいかわからなくなったときに、人間は毒性の強い脱力感に囚われる。日本人はバブル崩壊時点で、戦後60年奉じて来た国家目標である「対米自立」のための手立てを見失った。またもとの卑屈で、展望の見えない対米従属路線に戻るか、何の手持ちのカードもないまま対米自立路線を突っ走るか。選択肢はそれしかなかった。

２００９年に成立した民主党鳩山政権は「手持ちの外交カードがないまま対米自立を企てた」場合に何が起きるかを誰にでもわかるように教えてくれた。宗主国からの「処罰」が下る前に、外務省・防衛省を中心とする官僚たちと大手メディアら「対米従属テクノクラート」たちが束になって鳩山を引きずり下ろしたからである。

気がつけば、いつの間にか「対米自立という目的を失った、ただの対米従属」技術に熟達した人々が巨大なクラスターを形成して、日本の指導層の一角を占めていたのである。とりあえず彼らにとっては、この「目的なき対米従属」スキームが継続し続けることは、彼らの個人的なキャリア形成や資産形成には大きなプラスをもたらす。だから、対米従属そのものが自己目的化し、抑制を失って暴走し始めた。それが現在の日本の姿である。

重ねて申し上げるが、日本が「落ち目」になったのは個人の努力と国力の向上を結び付ける回路が失われてしまったからである。それが「ない」ということは対米従属テクノクラートたちも知っている。だから、道徳教育の強化や、「日本スゴイ」キャンペーンや、「クールジャパン」幻想や、排外主義的言説を撒き散らすことを通じて個人の努力を公的なものに向けろと必死になって煽っているのである。

日本が「落ち目」だということについての国民的合意が形成され、なぜそうなってしまったのか、そこからの回復の方位はありうるのかについての自由闊達な議論が始まらない限り、この転落に歯止めはない。

日本人の「自由」を再定義する

外国から到来した借り物の言葉

「自由」の再定義ですか。むずかしいですねぇ。ずいぶん哲学的な質問だなあ。

「自由」という語がlibertyやfreedomの訳語に採択されたのは明治以降ですね。それまでも仏教用語としてはあったようですけれど、「やまと言葉」には存在しない言葉だと思います。「自由」は手元の古語辞典にも日本語源辞典にもありませんし、僕自身の読書体験を思い起こしても、古典文学で「自由」なんて文字列を見た記憶がありません。日本人の生活文化にはまったく根づかない「借り物の言葉」だったんだろうと思います。そして、明治に近代日本の語彙に登録されてから150年経ったけれど、いまだにこなれた日本語になっていない。単語としては存在しているけれど、意味を受肉していない。

現に、「自由民主党」という政党名について「この政党のどこが自由で、どこが民主なのか」というタイプの問いを誰も口にしないでしょう。あの党名に自民党員たちも、野党も特段の違和感を覚えていない。「自由」とか「民主」といった語が日本語として受肉していて、それなりの「意味の身体」を持っていたら、「そぐわない」とか「ぴったりだ」とかいう感想を口にする人が党の内外に出て来て当然だと思うけれど、そんな人、どこにもいないじゃないですか。

日本語じゃないんだから、どう考えたって答えなんか出てきようがないです。ですから、改めて「自由とは何か？」と問われたら、外国から到来した借り物の言葉で、日本人はその語にいまもリアリティを感じることができずにいる、というのが答えになるんじゃないですか。

ヨーロッパの場合だったら、その語が出現してくる歴史的な必然性がある。古代ギリシャには奴隷と自由民という身分制があったし、中世には自由都市があり、ギルドや組合というものがあった。いずれもローマ教皇や神聖ローマ皇帝や国王や地方領主の支配を押し戻して、裁判権や免税権などの特権を確保するための組織です。さまざまなレベルでの政治権力からの干渉に対峙していた人たちにとって、「自由」というのは具体的で、生活実感にしっかりと根ざした、持ち重りのする言葉だったと思います。

日本でも、例外的なケースですけれど、博多や堺が自治都市であったし、加賀の国が１００年間一向一揆状態が続いたことがありました。ヨーロッパ的な「自由」の実践例に近いのかも知れない。でも、どれも例外的事例にとどまり、フランス革命のように、「市民的自由の獲得」が国民的な目標として自覚的に掲げられて、歴史を通じて全体化していったわけじゃありません。

だから、「日本には自由はない」と言っていいと思います。勘違いしてほしくないんですけれど、日本には「その代わりになるもの」がある。

自由の達成が日本人には不自由

日本人にとって、気が楽になるとか、心持ちが落ち着くとか、肩の荷が下りた気がするとかいうのは「自由を達成した」からではないんです。すべての外的な干渉を退けて、自分の思いの通りのことを実践するということを日本人はほんとうは望んでいない。だって、そんなの大変そうだから。それよりは、ほっとしたい、気楽でいたい。

集団の中にいると、さまざまな相互に矛盾したり対立したりする要請を調整しなければならないということがあります。それがうまく折り合って、「落としどころ」に話が落ち着いたときに、日本人は解放感と達成感を覚えます。理不尽な要求をされても、身勝手なことを言われても、それでも、あちこち走り回り、あちらの顔も立て、こちらの言い分も通して……というような困難な調整を果たして、もろもろの干渉が相互に相殺されて、一種の「ニュートラル」状態を達成したときに、日本人はなぜか深い満足感を覚える。これはどう考えても、ヨーロッパ的な「自由」とは似ても似つかぬものです。

ヨーロッパの街でびっくりさせられるのは夏の終わりの少し肌寒い日に「もう」毛皮のコートを着ている人と、「まだ」半袖半ズボンの人が並んで歩いている風景を見ることです。彼らは自分の身体感覚に従って何を着るか決めている。他人が何を着ようと気にしない。その「周りを気にしない」様子を見ると、「ああ、これが自由というものなんだな。日本人にはないなあ」と思います。

もちろん、日本にも「周りを気にしない様子」をする人はいますけれど、そういう人は「周りを気にしないオレってすごい」「オレは凡人じゃないんだぜ」ということをうるさくアピールしてくる。自由であるべきときにすでに肩肘張っている。それは周りが半袖でも、「オレは寒いから」と毛皮を着ている人の「自由」とは質が違います。

だから、日本人はヨーロッパ的な意味での「自由」を求めていないんじゃないかと思います。だって、日本社会で「私は自由に生きています」とアピールする人は総じて緊張しているから。でも、おでこに「私は自由人です。凡人ちゃいます」というシールを貼って、こまめに周りの承認を求めようとするなんて、野暮ですよ。

ユーラシア大陸の辺境に位置する日本列島には、外から次々と新しい集団が到来し、新しい文物が流入しました。そして、そのつど対立せず、排除せず、折り合いをつけてきた。「そちらにはそちらのお立場が、こちらにはこちらのメンツが。どうです、一つナカとって……」というのが日本における問題解決のもっとも成熟したマナーでした。

それは正解を得るための方法ではないのです。いざこざを避けるための作法です。

原理を貫徹する、信教や思想に殉じるということを日本人はあまり好まない。それよりは非妥協的な対立を折り合わせる調整能力が尊ばれる。

「大岡裁き」は日本人の生存戦略

大岡裁きの「三方一両損」なんていうソリューションはヨーロッパ人はまず受け付けてくれないでしょう。なぜきちっと決着をつけないのか、と。サンデル教授の「ハーバード白熱教室」ってありましたけど、日本人だったら、「さあ、正解はどっちだ」と切り立てられたら、「まあ、そう言わずに、どうですお茶でも一杯」というかたちで「白熱しない」方向に誘い込もうとするんじゃないでしょうか。

ハリウッド映画を見ていると、組織内でさまざまな利害や立場が衝突して大変険悪になるという場面によくお目にかかります。でも、あれこれの言い分にすべて耳を傾けて、全員が納得するような「あっと驚く落としどころ」を提案する上司というのは、映画の中ではまず見ることがありません。激烈なディベートのあとに、最終的に誰かの意見が「正しい」ということになって、意見が通らなかった者は憤然と席を蹴って会議室を出てゆく。これが欧米風なんだろうと思います。

自分のやりたいことを旗幟鮮明（きしせんめい）に掲げて、そのアジェンダに賛成する人間を登用し、反対する人間は排除する。その方が「話が早い」と人々は信じている。

でも、日本人はちょっと違う。「いや〜、悪いねえ。どう、今回はちょっと泣いてくれない？　いや、悪いようにはしないよ。次には必ず埋め合わせするから」みたいなやりとりのことを「仕事」だと称している。欧米のビジネスマンだったら、「そのどこが仕事なんだよ」と怒り出すでしょう。

でも、それはしようがないと思うんです。「相容れない立場をなんとか折り合わせる能力」こそが列島住民が生き延びるために優先的に開発してきた資質なんですから。列島民たちはそういう生存戦略で２０００年くらいやってきたわけで、いまさら変えろといわれても無理ですよ。

ですから、「最近、自由がなくなってきたと感じる」という声があったそうですけれど、僕はそれは違うと思います。

自由なんか前からなかったんだから。

僕が学生だった時代、１９６０年代末から１９７０年代初め大学はほとんど無法地帯だったわけですけれども、「無法」ではあったけれど、「自由」ではなかった。だって、どういうふうに「無法」にふるまうかについて定型があって、それに従わないと処罰されたから。それは校則が煩わしいと言って反抗する高校生たちの反抗の仕方が定型的であるのと同じです。「型にはまりたくない」と言う少年少女たちが定型的な服装をして、定型的な言葉遣いをして「定型に反抗する」。それのどこに「自由」があるんだろうと思います。

でも、僕はそれが「悪い」と言っているわけじゃないんですよ。そういう定型的な生き方をする人たちが求めているものは「自由」ではないと申し上げているだけです。たぶん彼らが求めているのは、ある種の「調和」なんだと思います。「調和」と「自由」とはまったく別物です。そして、日本人は「調和」のうちに安らぐことを、ヨーロッパ人が「自由」のうちに安らぐことを求めるのと同じくらい切実に求めているのであって、それはそれで一つの「種族の文化」だと僕は思っているのです。

中国の若者よ、マルクスを読もう

２０１８年、中国の新華社からメールで質問状が届いた。中国でもマルクス生誕２００年がにぎやかに祝われるようだけれど、その中で「マルクス再読」の機運が高まっている。その流れの中で石川康宏先生との共著『若者よ、マルクスを読もう』（かもがわ出版）も中国語訳が出て、ずいぶん売れている（らしい）。質問状には６つの質問があった。僕の方はこんなお答えをした。

――『若者よ、マルクスを読もう』が出版されて以来、日本ではベストセラーになり、中国でも大好評となり、愛読されています。その原因はどこにあるのでしょうか。なぜ資本主義社会の日本にはマルクス主義を愛読する人がこんなに多く存在しているのか、その原因は何だと思われますか。

日本では、マルクスは政治綱領としてよりはむしろ「教養書」として読まれてきたという側面があるからだと思います。つまり、マルクスのテクストの価値を「マルクス主義」を名乗るもろもろの政治運動のもたらした歴史的な帰結から考量するのではなく、その論理のスピード、修辞の鮮やかさ、分析の切れ味を玩味し、テクストから読書することの快楽を引き出す「非政治的な読み方」が日本では許されていた、ということです。

ですから、マルクスを読むことは日本において久しく「知的成熟の一階梯」だと信じられてきました。日本では、若者たちはマルクスを読んだからといってマルクス主義者になるわけではありません。マルクスを読んだあと天皇主義者になった者も、敬虔な仏教徒になった者も、計算高いビジネスマンになった者もいます。それでも、青春の一時期においてマルクスを読んだことは彼らにある種の人間的深みを与えました。

政治的な読み方に限定したら、スターリン主義がもたらした災厄や国際共産主義運動の消滅という歴史的事実から推して「それらの運動の理論的根拠であったのだから、もはやマルクスは読むに値しない」という判断を下す人もいたかも知れません。けれども、日本ではそういう批判を受け容れてマルクスを読むことを止めたという人はほとんどおりませんでした。「マルクスの非政治的な読み」が許されてきたこと、それが世界でも例外的に、日本ではいまもマルクスが読まれ続け、マルクス研究書が書かれ続けていることの理由の一つだろうと思います。

――マルクス主義の日本への影響についてご説明頂けますか。特に現在の日本への影響について。

戦後の社会運動の多くはマルクス主義の旗の下に行われました。特に学生たちの運動はほとんどすべてがマルクス主義を掲げていました。ラディカルな社会改革のための整合的な理論としてはそれしか存在しなかったからです。しかし、60年安保闘争でも、1960～1970年代のベトナム反戦闘争でも、実際に日本の学生たちを深いところで衝き動かしていたのは反米ナショナリズムだったと僕は思っています。対米自立をめざすこの国民感情はその後「経済力でアメリカを圧倒する」という熱狂的な経済成長至上主義にかたちを変えて存続しました。もちろん、そこにはもうマルクス主義の影響はかげもかたちもありませんでした。

ですから、現代日本にマルクス主義がどう影響しているのかという問いには「政治的理論としては、ほとんど影響力を持っていない」と答えるしかありません。

日本共産党はマルクス主義政党ですが、選挙で共産党に投票する人たちの多くはその綱領的立場に同調しているというよりは、党の議員たちが総じて倫理的に清潔であり、知性的であり、地域活動に熱心であるといった点を評価しているのだと思います。

それでも、日本では１９２０年代以後現代にいたるまで、マルクス主義を掲げる無数の政治組織が切れ目なく存続し、マルクス主義に基づく政治学や経済学や社会理論が研究され、講じられてきました。マルクス主義研究の広がりと多様性という点では、日本は東アジアでは突出していると思います。マルクス主義者でなくても日本人の多くはマルクス主義の用語や概念を熟知しており、そのスキームで政治経済の事象が語られることに慣れています。それがわれわれのものの考え方に影響を与えていないはずがありません。

——内田先生はいつごろからマルクスの著作を勉強し始めたのでしょうか。先生が考えられているマルクス主義の偉さを何点か挙げて頂けますか。

最初にマルクスを読んだのは高校1年生のときです。『共産党宣言』でした。マルクスの著作で一番好きなのは『ルイ・ボナパルトのブリュメール一八日』です。これはロンドンにいたマルクスが、ニューヨークの友人に依頼されて、アメリカのドイツ語話者のための雑誌に書いた、フランスの政治的事件についての分析記事です。この入り組んだ執筆事情のせいで、マルクスの天才的な「説明能力の高さ」が遺憾なく発揮されています。同じ条件の下でこれだけ明快で深遠な分析記事を書くことのできたジャーナリストが果たしてその時代のアメリカやヨーロッパにいたか、書かれてから150年経っていまだに読み継がれている「政局解説」が他に存在するかということを考えてみるとマルクスの天才がわかると思います。

――「マルクスを読めば人々がより賢くなる」とおっしゃいましたが、具体的な事例を挙げて頂けますか。

クロード・レヴィ＝ストロースは論文を執筆する前に必ずマルクスの著作を書架から取り出して任意の数頁を読んだそうです。そうすると「頭にキックが入る」のです。

この感じは僕にもよくわかります。マルクスを読むと「賢くなる」というより、「脳が活性化する」のです。マルクスの文体の疾走感や比喩の鮮やかさや畳み込むような論証や驚くべき論理の飛躍は独特の「グルーヴ感」をもたらします。マルクスの語りについてゆくだけで頭が熱くなる。いささか不穏当な比喩ですけれど、ロックンロールなんです。マルクスのテクストは。

——マルクス思想を使って、現代社会における矛盾を解決する事例を挙げて頂けますか。

マルクスの理論的枠組みをそのまま機械的に適用して解決できる矛盾などというものはこの世に存在しません。シャーロック・ホームズが難事件を解決したときの推理をそのまま当てはめても次の事件が解決できないのと同じです。ホームズから僕たちが学べるのはその推理の「術理」だけです。

僕たちはマルクスを読んで、広々とした歴史的展望の中で、深い人間性理解に基づいて、複雑な事象を解明することのできる知性が存在するということを知ります。そのような知性がもしここにいて、いまのこの歴史的現実を前にしたときに、どういう分析を行い、どういう解を導き出すかということは自分で身銭を切って、自力で想像してみるしかありません。それはマルクスをロールモデルにして自分自身を知的に成熟させてゆくということであって、「マルクス思想を使って」ということではありません。

――中国の若者たちが学校からマルクス主義に触れ始めています。マルクス生誕200周年を迎えるいま、中国の学生の皆さんに、または世界の若者たちに送りたいメッセージはありますか。

「マルクス主義に触れる」ということと「マルクスに触れる」ということは、次元の違うことです。僕たちがこの本で若者たちに向けて語ったのは「マルクスを読もう」であって「マルクス主義を知ろう」とか「マルクス運動にコミットしよう」ということではありません。それもそれで価値ある政治的実践でしょうけれども、繰り返し言うように、僕はマルクスを読むことの意味は「政治的」に限定されないと考えています。若い人たちが知性的・感性的に成熟して、深く豊かな人間理解に至るためにマルクスはきわめてすぐれた「先達」だということを申し上げているだけです。このアドバイスはどの時代のどの国の若者たちに対しても等しく有効だろうと僕は信じています。

第5章

人生100年時代を生きる

破局の到来

「人口減社会」についての論集の編者を依頼された。21世紀末の人口は中位推計で5000万人を切る。いまから80年間で日本の人口が半減するのである。それがどのような社会的変動をもたらすのか予測することは難しい。いくつかの産業分野が消滅すること、いくつかの地域が無住の地になることくらいしかわからない。

起こり得る事態について想像力を発揮して、それぞれについて対策を立てることは政府の大切な仕事だと私は思うが、驚くべきことに人口減についてどう対処すべきかについての議論はまだほとんど始まっていない。だからこそ、私のような素人が人口減社会の未来予測についての論集の編者に指名されるというような不思議なことが起きるのである。

毎日新聞が先日「2017年12月」、専門家に人口減についての意見を徴する座談会を企画した。その結論は「楽観する問題ではないが、かといって悲観的になるのではなく、人口減は既定の事実と受け止めて、対処法をどうするか考えたらいい」というものだった。

申し訳ないが、それは結論ではなく議論の前提だと思う。最後に出席者の一人である福田康夫元首相が「国家の行く末を総合的に考える中心がいない」と言い捨てて話は終わった。人口減については、政府部内では何のプランもなく、誰かがプランを立てなければならないということについての合意さえ存在しないということがわかった。その点では有意義な座談会だった。

出席者らは「悲観的になってはならない」という点では一致していた。ただ、それは「希望がある」という意味ではなく、「日本人は悲観的になると思考停止に陥る」という哀しい経験則を確認したに過ぎない。日本では「さまざまな危機的事態を想定して、それぞれについて最適な対処法を考える」という構えそのものが「悲観的なふるまい」とみなされて禁圧されるのである。

近年、東芝や神戸製鋼など日本のリーディングカンパニーで不祥事が相次いだが、これらの企業でも「こんなことを続けていると、いずれ大変なことになる」ということを訴えた人々はいたはずである。でも、経営者たちはその「悲観的な見通し」に耳を貸さなかった。たしかにいつかはばれて、倒産を含む破局的な帰結を迎えるだろう。だが、「大変なこと」を想像するととりあえず今日の仕事が手につかなくなる。だから、「悲観的なこと」について考えるのを先送りしたのである。

人口減も同じである。この問題に「正解」はない。「被害を最小限に止めることができそうな対策」しかない。でも、そんなことを提案しても誰からも感謝されない。場合によっては叱責される。だから、みんな黙っている。黙って破局の到来を待っている。

寄稿は以上。

しかし、これは人口減に限らず、いま日本で起きていることのすべてに適用できそうな話である。公文書改竄（かいざん）事件でも、省庁の各所に「こんなことを続けていたら、いずれ大変なことになる」ということを訴えた人はいたはずである。でも、要路にある人々は耳を貸さなかった。彼らには耳を貸さない代償に個人的な栄達が約束されていたからである。組織の長期的な信頼性や安定よりも、わが身大切を優先させる人々たちが選択的に出世できる仕組みを作り上げたこと、それが安倍政権5年間の際立った「成果」である。

それで日本社会がどれほど損なわれたのか、被害の規模と深さを思うと気が遠くなりそうである。

定年後をどう生きるか

自分でさばいた刺身からスーパーのパックに

「定年後」に関する本が売れているそうですね（知りませんでした）。でも、僕の子どもの頃から「定年」はつねに大きな社会問題だったようです（その頃は「停年」と書かれていたかに記憶しております）。僕の父親たちの世代までは多くの企業は終身雇用制でしたから、一度会社に入ったらふつうは定年までは勤め上げた。会社は一種の「疑似家族」で、同僚たちとは家族ぐるみの付き合いで、一緒にハイキングに行ったり、海水浴に行ったりしていました。そういう親しみ深い共同体から切り離されるわけですから、定年を迎えるというのは経済的苦境というだけでなく、切なさがあった。

当時の定年は55歳でしたが、定年を前にした男たちの葛藤を主題にした小説がいろいろありました。石川達三の『四十八歳の抵抗』、源氏鶏太の『停年退職』、松本清張の『駅路』といったものですが、僕は小学生の頃になぜかそういうものを愛読しておりました（家にあったというのは父親が買ってきたんでしょうね）。定年を前にした男の苦悩を描いた小説を読みふける小学生というのも奇妙なものですけれど、おかげで12歳くらいのときから「定年を迎える前に心の準備をせねば」と思っていました。

僕も退職して5年になります（選択定年制で早く退職させて頂きました）。高校や大学時代の級友たちもほぼ全員がすでに退職しました。10年ほど前からクラス会がよく開かれるようになりました。でも、正直言って、行ってもあまり楽しくないんですよね。まあ、クラス会というのは悪友が顔を合わせては同じ昔話を繰り返すだけのものですけれども、それでも異業種の人から思いがけない「生々しい話」を聞くことが僕はけっこう楽しみでした。第一線で働いている人からは「鮮度の高い話」が聴ける。「お前たちは知らんだろうが……」とメディアも報じない「ここだけの話」をしてくれる。ところが退職すると、そういう「鮮度の高い話」がぱたりとなくなってしまうんです。話の材料がすでにメディアで報道された二次情報に限定される。老人は暇なのでテレビや雑誌はよく読んでいるので、いろいろ知っている。でも、どれも「加工済み」の情報で鮮度が低い。これまで自分で釣った魚を自分でさばいて刺身を食べていた人が、スーパーでパックされた刺身を食べるようになったようなものです。リアルなのは病気の話だけで、これはたしかに目をキラキラさせて語ってくれる。

やはり現場にいて、「生もの」を扱っている人の話じゃないと面白くない。大学と医療の現場からの話がやはり面白いです。どちらもここに来て安定的な制度が崩壊しつつある。システムが危機的になると、家が壊れるときと同じで、瓦が落ち、壁が剥げ、家の骨組みが露出してくる。なるほど、中はこういう構造になっていたのかということがわかる。だから、危機的な現場にいる人たちの話は鮮度が高い。

メディアにはまず出てこない「ここだけの話」の断片を繋ぎ合わせてゆくと、日本社会がどうなっているか、だんだん見えてくる。僕は意外なことにとても聞き上手なのです（笑）。適当に質問をはさみながら、熱心に耳を傾けるので、皆さん喜んで「ここだけの話」をじゃんじゃんしてくれる。そういう情報をもたらせてくれる友人知人こそ僕にとって最も貴重な存在です。彼らと話すのは楽しい。話していて楽しいのは

「現場を持っている人」だということです。

リタイアした人にだってもちろん「現場」はあります。そこで現に「日本の構造をあきらかにするような出来事」が生起していて、それについてメディアがまだ「加工」していない「生もの」の現実と触れ合う機会の多寡は年齢には関係ありません。

働くのはどこでもいい

退職した男性が、そのあと保育園の補助保育士になったというニュースがありました。子どもたちからは「おじいちゃん先生」と呼ばれ、本人もやりがいを感じているそうです。これはその通りだろうと思います。子どもは生ものですし、保育の現場は日本社会の縮図です。日々子どもと接すれば、現代の子どもの体が、昔の子どもと違ってしまっていることもわかるし、母子関係も「なんだこれは」と驚愕することが多々あるでしょう。現場にいればこそ、いまの日本の家族が抱え込んでいる問題が荒々しく可視化される。それを前にしたら、「いったい日本社会では何が起きているのか？自分は何をすればいいのか？」というリアルな問題に立ち向かわざるを得ない。こういう人はクラス会に行っても、周りの人たちが聞き入るような「現場からの話」をすることになるでしょう。

働くのはどこだっていいんです。居酒屋やコンビニだって、そこには現代日本の本質的な問題が露呈している。外国人労働者のこと、コンビニチェーンの収奪構造のこと、若年労働者の孤立のこと……目から鱗が落ちるような知見が次々と得られるはずです。

先日、信州の温泉のスキー場に行ったときのことですけれど、その宿はお客さんの8割が外国人でした。スタッフは英語で対応している。仲居さんが中年の方だったので、「英語での接客だと大変でしょう」と声をかけたら、携帯を差し出して「いえ、グーグル翻訳ですから」とこともなげに答えた。

海外からのツーリストに日々接している人たちの方が自動機械翻訳の進歩に詳しい。そういうところに日本と世界の関係が部分的にではあれ可視化されている。

でも、メディアはそういう変化への感知力が落ちていますね。他のメディアがすでに加工した二次情報を報道していることに満足して、生ものに触れて、分析し、解説できるだけの情報処理力を持っていない。

リタイアすることの最大のリスクは、「現場を失う」ことです。メディア経由の情報しか触れることができず、加工される前の「生もの」の現実との接点を失うことです。それについて退職者は十分に危機感を持った方がいい。

学びなおしのすすめ

現在、政府が「人生100年時代構想会議」を立ち上げて、そのなかでリカレント教育（学びなおし）を推進しようとしています。リカレント教育というのは、学校を一度出た後も、技能や知識を大学などで学びなおし、それをキャリアアップや次の仕事につなげるという話です。でも、僕に言わせれば、「余計なお世話」です。リタイアした人たちを、今後もどうやって労働力として、あるいは消費者として「再利用」するかという意図が見え透いていますから。

18歳人口が激減して、大学はどこも経営危機に直面しています。遠からず次々と経営破綻し、統廃合される。一度大学を出た人がまた大学に来るというかたちで学生数を確保するというのは起死回生の奇策なわけです。だから、「社会人になってからでも学びなおしをして次の仕事につなげましょう」と煽り始めた。

いや、いくつになっても学び続けるということそれ自体は素晴らしいことなんですよ。大学にもう一度行って、語学を学び直したいとか、医療従事者の資格を取りたいとか、法律の勉強をしたいとか、そうやってもう一度「現場」に立ちたいというのなら、僕は大歓迎です。

でも、いま政府が主導している「学びなおし」は学ぶ側の市民的成熟や彼らの生き甲斐なんか別に配慮していない。年金や医療費の出費を抑制したいから、高齢者も死ぬまで現役で働き続け、消費し続け、税金を払い続けてくれということに過ぎません。人生１００年時代構想会議の「中間報告」を読みましたけれど、そこには、定年まで働き続けて、日本を支えてきてくれた先輩たちに対する敬意も謝辞も一言もない。みごとに一言もないんです。むしろ、「お前ら、これで休めると思ったら大間違いだぜ」と脅しつけている。

僕はリタイアした男性には、お稽古事を勧めています。人間出世すると、しだいに「叱られる」ということがなくなる。でも、人間、いくつになっても叱られるということはあった方がいい。そのためにお稽古事をする。

植木等の「無責任一代男」の歌詞（作詞・青島幸男）にも上役に取り入る手立てとして「ゴルフに小唄にゴの相手」とあるように、昭和の重役たちはいろいろな趣味を嗜んでいた。ゴルフも小唄も碁も師匠について自分の欠点をエンドレスに修正されるお稽古事です。素人はシステマティックに叱り飛ばされるだけです。だからこそ昔の人は出世して偉くなったら「師匠に叱り飛ばされる芸事」を進んで習った。

ある程度の地位に達すると、実生活では、もう誰からも叱られるということがなくなってしまう。だから、自分から叱られる現場を探して、叱られるために月謝を払う。

本質が暴かれるお稽古事

僕が能楽を習い始めたのは46歳のときです。大学教授になって、研究業績もそこそこ積み上げ、もう世間から「若造」扱いされなくなった頃です。これではまずいと思って、観世流シテ方の下川宜長先生に入門しました。立つのも座るのも歩くのもすべての動作にダメ出しがされる。自分が身体をまったく使えていないということを骨身にしみて叩き込まれました。

社中の大会で能舞台に上がる緊張感というのは他とは比較できません。頭の中が真っ白になる。玄人でさえ舞台で詞章を忘れて立ちすくんだという場面を何回も見てきました。だから、切り戸口から舞台に出る前は動悸が速くなる。

でも、よく考えてみたら、素人会の舞台の上で、僕が道順を忘れようと、詞章を間違えようと、見所のお客にはわかりゃしないんです。終われば師匠からも社中の仲間からも「いや、よかったですよ」とねぎらわれるに決まっている。どんな派手な失敗をしてもいかなるペナルティも受けることがない。にもかかわらず、他のどんな場合よりも緊張する。

どうして高い月謝やお役料を払ってまでこんな苦しい思いをしなくてはならないのかと、前に社中の仲間と楽屋で愚痴っていたとき、その彼は医者だったのですけれど、「舞囃子の舞台に出る前の緊張に比べると学会発表なんてなんてことないですよね」とため息をついた。それを聞いて「ああ、そうなのか」と得心がゆきました。失敗しても何のペナルティもないところで最大限の緊張を経験したことによって、失敗すると取り返しのつかないダメージをもたらすような局面では「あがる」ことがなくなった。僕はもともとそれほど小心な人間ではないのですけれど、それでも能の稽古を始めてからは、どんな大舞台の上でも緊張するということがまったくなくなりました。「能舞台に出る前の緊張に比べたら、こんなの……」と思うと、なんでもなくなる。これは素晴らしい効用でした。

もう一つ、師匠に叱られるのはまさに僕の個人的な欠点そのものなんです。実際には発声や足の運びといった技術的なことを叱られるわけですけれど、それらはすべて「いかにも内田が犯しそうなミス」なんです。ことを急く。プロセスを粗雑に扱う。物事をなめてかかる。態度がでかい……全部、僕のきわめてパーソナルな欠点をそのまま剥き出しにする。

もちろん師匠は「態度が悪い」なんて言いません。そうではなく、「そういう謡い方をしてはいけない」とか「そういう扇のあしらいをしてはいけない」と具体的に修正してくださるわけですけれど、こちらにしてみると、それがことごとく僕の人格的な欠点を言い当てられているような気がする。そのたびに「ああ、お稽古事って大事だな」と実感します。

ですから定年を迎えた方には、お稽古事を、とくに伝統芸能をお勧めします。とはいえ、残念ながら、能楽は、65歳になってから始めるというのでは遅すぎます。できれば40代、せめて50代から始めることをお勧めします。老齢になってから芸事を楽しむためには、どんなものでも10年20年の「助走期間」は必要です。

私利私欲をやめて「公共」にすると得をする

それから、For the team の精神を持つということ。「公共的なもの」のために汗をかくこと。これは人間を生き生きさせてくれます。僕自身は根っから利己的な人で、「自分さえよければそれでいい」と心から思っていますけれど（笑）、自分が属している集団全体が「よい」状態にないと、私利さえ安定的に確保できない。

たとえば、自分の生命や財産を安定的に確保したいと思ったら、「他人のものをいくら奪ってもよい」というルールで回っている社会より「他人のものには手を出さない」というルールを成員が内面化している社会にいる方がいい。全員が自己利益追求を優先させると、社会は「万人の万人に対する戦い」の場になり、自己利益が安定的に確保できない。だから、近代市民社会では、成員一人一人が少しずつ私権の追求を抑制し、私的資源を差し出して、「公共（res publica）」を立ち上げた。トマス・ホッブズやジョン・ロックが言う通りです。

公共というのは自然物のように、はじめからそこにあるものではなくて、集団成員たちが自分の「持ち分」を少しずつ持ち寄ることではじめて創り出されたものだというこの理説を僕は正しいと思っています。コストを考えたら、自分の周りは全員潜在的には盗人であるという「性悪説」に立つより、みんないい人ばかりという「性善説」に基づいて制度設計した方が圧倒的に安く上がる。だから、徹底的に利己的な人間は利他的な善人であるかのようにふるまうようになる。

僕は個人的には、自分が私有している資源はできるだけ「公共」に差し出したいと思っています。私財を投じて「みんなが使える場所」を建設したのも、ネット上に公開したテクストは「パブリック・ドメイン」にしているのも、そのためです。

別に欲心がないとか、博愛的であるとかということでは全然なくて(笑)、その方が私財が殖えるし、テクストの経済的価値が上がるということがわかっているからです。欲深いからこそ「私利私欲を一時的に抑制する」ということをしている。

いい人になる。いや、別にならなくてもいいんです。「いい人のふりをする」だけでいい(笑)。

あまり言われないことですけれど、それが年を取ってから活動的であるための秘訣だと思います。

街場の２０１９年論

立憲デモクラシーの危機

２０１９年最初の寄稿なので、今年はどんな年になるのかについて予測をしておきたい。

こういう予測はだいたい外れる。でも、それでいいのである。外れると、自分の未来予測にどれくらい主観的願望のバイアスがかかっているのか、それを思い知ることができる。

「自分がどれくらい現実を見損なっているか」をチェックすることは「自分がどれくらい現実を正しく見当てているか」を知って喜ぶより知性のパフォーマンスの改善に

は資するところが多い。

だから、外れることを恐れずに、どんどん予測することにする。

予測その一。統一地方選で異変が起きる。異変といっても議席数の話ではない。地方議会にこれまで選挙に出てこなかったような新しいタイプの候補者が登場するという予測である。

従来の政党系列になじまず、先祖伝来の家業のつもりで議員をしている世襲議員ともまるで毛色の違う、これまでだったら地方自治にまず顔を出すことのなかった人たちが各地で立候補してくる。立憲デモクラシーの危機を感じ取って、それを再興するためである。

安倍政権は過去6年間、国会の威信低下・機能不全のために全力を尽くしてきた。そして、それにみごとな成功を収めた。その手際よさに、私は率直に一種の感動を覚えている。

委員会での総理や所管大臣たちの木で鼻をくくったような答弁、あるいは法案の内容を理解していない大臣によるでたらめな説明、立法事実を構成する基礎的なデータの改竄、繰り返される強行採決、資質に深刻な問題を抱える議員たちの失言、暴言、醜聞……。

そして、何より安倍首相による2度にわたる「私は立法府の長である」という言い間違え。これは日本の立憲デモクラシーが崩壊の縁に立っていることをはしなくも露呈した。

あらためてフロイトを呼び出すまでもなく、「言い間違い」はその人の無意識的な欲望を表出する。たしかに、いまの総理大臣は国会の多数派政党の総裁であるから、政府が提出する法案は、ほぼそのままのかたちで国会で採択される。だから、行政府が「事実上立法府の上位にある」のだと言えないことはない。

しかし、「立法府の長」は憲法の定めるところ衆参院の議長である。だから、これはあきらかな職名詐称である。首相が「私は司法府の長だ」と放言したら、さすがに国民も驚愕するだろうが、「立法府の長」だという宣言にはおおかたの国民はぼんやりとした表情で応じた。

それは、それが事実だという国民的合意が広く形成されているということを意味している。私はこの事実を「立憲デモクラシーの危機」とみなすのである。

国会の空洞化に対抗するのは……

私たちはすでに、国会審議というのは採決までの時間つぶし、アリバイ作りのための茶番劇だという印象になじんでいる。

野党とメディアが「ずさんな国会運営」を批判すればするほど、あるいは「与党も横暴だが、野党もだらしがない」というタイプの中立めかした言説が新聞テレビの定型句になればなるほど、「国権の最高機関」としての国会の威信は低下し続ける。そして、行政府の相対的な優位がより確実なものになってゆく。そういう構造になっている。

独裁というのは、別に、ある日権力者が「これからは私が独裁者だ。逆らうものは容赦しないぞ」というような芝居じみた宣言をなして始まるわけではない。

独裁制とは「法の制定者と法の執行者が同一機関である政体」のことである。この定義を適用するならば、行政府が準備する法案が実質的な審議抜きに次々と採択されている現在の日本の政体は、すでに独裁制に準じたものになっている。

地方選における新しいタイプの立候補者たちの登場はこの「立法府の空洞化」に対抗する動きである。彼らは政党のオーディションに受かって登場するわけではないし、地方の名士でもない。市井の名も知られぬ人である。ただ、これまで自分の手の届く範囲で、「公共的」な仕事をしてきた。その活動にかかわり、その恩恵に浴した人たちから「あなたのような人が議会に出て、われわれの現状を訴え、変えられるところから変えてほしい」という負託を受けて登場するのである。彼らの特徴は、その語の正しい意味で「公共的」だということである。

私たちは「公共」というと、とりあえず国家とか地方自治体とか、公教育とか社会福祉制度とか、そういうできあいのものを思い浮かべる。しかし、発生的に言うと、公共は自然物のようにそこにあらかじめ用意されて転がっているものではない。公共は私人の自己犠牲と信用供与によって創り出されるものである。

ロックやホッブズによる近代市民社会論のロジックは次のようなものであった。自然状態において「人は人に対して狼である」。そこは「万人の万人に対する戦い」の場になる。だから、自然状態では、われわれはほとんどの資源を「他の狼」からおのれの生命財産を護るために費やすことになる。

それでは心穏やかに暮らすことも、創造的な仕事に集中することもできない。だから、われわれの先祖は、社会契約によって、私利私欲の追求を自制し、私権や私財の一部を公共に委譲して、それを負託された公共体が私人たちを統制し、守る仕組みを作ったのである。

ほんとうに近代市民社会がそんなふうにして出来上がったのかどうか、私は知らない。ロックやホッブズやルソーだって見てきたわけではあるまい。

けれども、近代のある時点で、ヨーロッパの人たちは、共同体は私人が自己利益の追求を自制し、私権私財の一部を公共に委託したことから始まったという「物語」を採用した。私はこれを「できのよい物語」だと評価する。これとは違うストーリーで共同体を安定的に基礎づけることはむずかしい。

「公共的な人」というのは、この「物語」にリアリティを与えることができる人のことである。それは必ずしもこの「物語」にリアリティを感じている人ではない。むしろ、「公共という物語」が空洞化していることに不安を覚えるがゆえに、身銭を切ってでも公共を建て直さなければならないと思っている人である。私はそういう人のことを「公共的な人」と呼びたいと思う。

「官製相場」と参院選の行方

残念ながら、現在の私たちの国の「公人」たちの多くは「公共的な人」ではない。彼らは国民の私権の行使を制約し、私財を吸い上げることには大変熱心だけれど、そうやって排他的に蓄積した国民資源をおのれの私財に付け替えることにも等しく熱心である。

公共のために私財をなげうつよりは公共物を私有化する術に長じた人たちがわが国の指導層には広く分布している。彼らはいわば「公人の皮をかぶった私人」たちである。

彼らのような「狼」たちにいくら食い物にされてもまだ柱石が揺るがないほどにわが国家機構や地方自治体が堅牢(けんろう)であることは言祝(ことほ)ぐべきだが、さすがにここまで「公共」が疎かにされると、共同体の基盤も危うくなってきた。

だから、かつて近代市民社会が形成されたときと同じく、「公共的な私人」の登場が要請されることになったのである。

身銭を切ってでも公共を再建しようとする人たちが現れるのは、いま日本の全領域で起きている「公共の空洞化」に対する補正の動きである。これは歴史的必然である。そうである以上、この動きは指導的な理論も、統一的な組織もないままに、日本各地に同時多発的に発生する。その最初の徴候が4月の統一地方選で観察される、というのが私の予測である。

予測のその二。7月の参院選で政権与党の自公が大幅に議席を減らす。

安倍政治に対する「膨満感」が受忍限度を超えたということもあるが、参院選前に、官邸と日銀による官製相場のコントロールがついに効かなくなって、株価が暴落、その責任を問う声が噴き上がったせいである。

誰かを「いけにえ」に差し出さないと世論が収まらない。日銀総裁が詰め腹を切らされるだけでは済まず、財務相や首相にまで責任追及の声があがり、それが参院選での有権者の投票行動につながる。そして、大敗を承けて、首相悲願の改憲は政治日程から消える。

改憲の立ち消えについてはかなり私自身の主観的願望が入っているが、年末から下がり続けている株価がこのあとV字回復することは冷静に見てもあり得なさそうである。日本経済に今年順風が吹くと予測できるような材料がどこにも見当たらないからである。

編集部注：2019年7月の参院選では、自民、公明両党が改選枠124議席の過半数を超す71議席を得た。

国際社会は「海図なき航海」

予測その三。国際社会のこれからについては、さらに混乱し、無秩序状態に陥ってゆくだろうという欧米の政治学者たちの見通しに私も同意する他ない。保護主義、排外主義、ポピュリズムが亢進し、穏健な民主主義は衰弱し、独裁者的な指導者たちが強権的な政治を行うようになる。

トランプのアメリカが世界秩序を担う仕事を放棄した後、アメリカに代わって世界秩序のオルタナティブを提示できる国も政治的リーダーも見当たらない。中国にはまだアメリカに取って代わるだけの国力がないし、その気もない。そもそも、いまの中国の権威主義的な統治システムはポスト国民国家時代でもわれわれのロールモデルたり得ない。

米中の貿易戦争がどこかで鎮静するのか、チキンレースが続いて経済がさらに混乱することになるのかも予測がつかない。変数が多すぎるのだ。特にトランプ大統領が「予測に反する行動をとる」ことを彼ご自慢の「ディール」の得意技としている以上、アメリカのふるまいを予測することができない。

はっきりとわかっているのは、二大超大国である米中も、EUもロシアも（もちろん日本も）どこの国も地域も、国際社会に対して強い指南力を発揮しうるグローバル・ヴィジョンを提示する能力がないということである。「海図なき航海」というと詩的だけれど、要するに「どうなるかお先真っ暗」ということである。

こういう場合の心構えは、どんな驚くべき状況に投じられても、冷静さを保つことである。それくらいしかできることがないということでもある。

間違えてほしくないが、「冷静さを保つ」と「鈍感である」ことは違う。何が起きても「こんなことは想定内だ」と強弁する人は冷静であるのではなく、単に鈍感なせいで、適切に驚くことができないだけである。驚かされないためには（逆説的なことだが）、「こまめに驚く」のがよい。

「風の音にぞおどろかれぬる」人は他の人には「さやかに見えぬ」秋の気配を先んじて感知しているのである。だから、みんなより早めに冬支度を始めて風邪をひかずに済んだり、紅葉や名月を楽しむ準備を始めたりできる。わずかな入力の変化を感知して、能動的に「驚く」人だけが「驚かされる」リスクを低減できる。

私が読者のみなさんにご推奨するのは、なにか異変を感知したら、「ほう、いつのまにこんなことが」と目を丸くしてみることである。驚くことを楽しむのである。それくらいの構えでいないと２０１９年を冷静にやり過ごすことはできないだろう。

あとがき

みなさん、こんにちは。内田樹です。

『生きづらさについて考える』、最後までお読みくださってありがとうございます。

ご覧の通り、これはさまざまな媒体に書いたエッセイのコンピレーション本です。「サンデー毎日」に何年か前から不定期に長文の寄稿をしておりますので、そこにこれまで書き溜めたものがベースになっています。その他は新聞や雑誌に書いたままハードディスクの底に眠っていたものを集めて、一冊にしました。

頭から書き下ろしたものとインタビューを添削したものが混在しているので、文体もタッチもひとつひとつで違って、統一感を欠く憾(うら)みはありますが、まあ、それも気分転換になって読みやすいかも知れません。

今回、単行本にまとめるにあたってゲラを通読しましたが「ううむ、暗いなあ」と思いました。時事的なものを書くとどうしても暗くなっちゃうんですよね。他のエッセイ集でしたら、ところどころで武道や宗教の話、映画や文学の話も出ていて、ちょっと「コーヒーブレーク」が取れるんですけれど、本書のように、政治の話ばかりしていると、どこまでも果てしなく暗くなります。

そこで「あとがき」では「お口直し」に、「どうして現代日本で政治について語るとこんなに暗くなるのか？」という話をしてみたいと思います。変な話ではありますが、それほど暗い話ではありません。ちょっと座り直して読んでくださいね。

日本が高齢化していることは皆さんご存じですよね。ある国の高齢化の程度を知るためにはいろいろな指標がありますが、その一つは「中央年齢」です。「中央年齢」というのは、「その年齢よりも上の世代と下の世代の人口が同数」であるような年齢のことです。日本の中央年齢は45・9歳。堂々の世界一です。

ちなみに世界で一番中央年齢が低いのはニジェールで15・0歳。これは「若い国」であるというよりは、たぶん治安が悪すぎて長生きできないということなので、ニジェールの人たちにとっても、あまりうれしい数字ではないと思います。

ちなみに中央年齢が17歳未満なのは、他には東ティモール、ザンビア、アフガニスタン、アンゴラ、マリ、ソマリア、ウガンダ、チャドなどがあります。どうやら国内で内戦やテロが続いて、統治機構が満足に機能していなくて、公衆衛生のレベルも低いという国が「若い国」のようです。だとするなら、日本の45・9歳は、日本がいかに治安がよく、統治機構がきちんと機能していて、公衆衛生への気配りが行き届いているかを示す「先進国指標」だと解することもできます。

豊かで安全なのだけれど、なぜか子どもが生まれない国。

それが中央年齢の高い国のとりあえずの特性だということになります。

他の国の中央年齢を見ると、フランスが40・6歳、イギリスが40・2歳、韓国が39・4歳、ロシアが38・3歳。なんとなく、「そうだろうな」というような数字が続きます。

面白かったのはアメリカと中国が同率40位ということ（37・4歳）。世界の覇権を競う二大国が人口の年齢構成が近いんです。ふうん、ですね。でも、この後、アメリカはそれほど高齢化しませんが、中国は一人っ子政策のせいで急激に高齢化します。その人口構成の「若さ」の差が、いずれは国力の差に反映してくるのでは……と僕は考えております。

でも、僕は今そんな話をしたいんじゃないんです。違う話です。

僕が、日本の中央年齢を確認している時に、一瞬、目の端に「2位ドイツ　3位イタリア」という文字列が見えたのです。日本、ドイツ、イタリア？　その三国において中央年齢が高い？　それ、どういうこと？

そして、リストの続きを見て驚くべき事実を発見しました。

まずはそのリストをご覧ください（２０１３年 世界保健機関〈ＷＨＯ〉）。

1位・日本　2位・ドイツ　3位・イタリア　4位・ブルガリア　5位・ギリシャ
6位・オーストリア　7位・クロアチア　8位・スロベニア　9位・フィンランド
10位・ポルトガル

どうです。わかりましたか、これらの高齢化国の共通点が。

そうです。ポルトガル以外の9つの国と地域はすべて「第2次世界大戦の敗戦国」なんです。クロアチアとスロベニアはナチスに占領されて対独協力していた「地域」で、厳密な意味での「敗戦国」には当たりません。ポルトガルは中立国でした（サラザール独裁のファシスト国家でしたが）。

このリストから言えることはとりあえず一つ。

それは「ファシズム体制で戦争を始めて、敗北した国では、戦後しばらくしてから、子どもが生まれなくなった」ということです。

戦後しばらく経ってからなんです。ここに僕は興味を惹かれました。

日本のベビーブームはご存じの「団塊の世代」、１９４７年から１９４９年、戦争が終わってすぐに、どっと子どもが生まれました。年間２６０万人超えが３年続いたのです。

ドイツでも戦後にベビーブームが始まってそれが１９６３年まで続きました。イタリアもドイツとほぼ同じで１９６５年まで出生率は上がり続けました。戦後すぐは敗戦国でも、子どもたちはどんどん生まれた。まるで戦死者たちの分を取り返すような勢いで子どもが生まれた。

僕は１９５０年生まれ、「団塊の世代」の尻尾です。その時代の子どもの多さをよく覚えています。小学校の教室が足りなくて、最初のうちは「二部授業」をしていたくらいですから（午前と午後で入れ替え制だったんです）。

僕は東京の南西のはずれの工場街の中学校に通っていましたけれど、1クラス50人超で、僕の学年が8クラスでした。2つ上の学年は10クラスありました。とにかく子どもの数が多かった。

でも、どこも家は貧しかったんです。井戸水汲んで、たらいに水を溜めて洗濯板で洗濯して、暖房は火鉢（ひばち）だけ。そういう「共和的な貧しさ」の中で、東京でも地域の共同体は助け合いながら、わりと機嫌よく暮らしていた。

機嫌がよかったのは、みんな貧しかったけれど、自由だったからです。長く戦争が続いた後に、ようやく平和が訪れた。もう兵隊にとられることもなくなったし、空襲もなくなったし、特高も憲兵隊も治安維持法も隣組もなくなった。1930年代から長く続いた重苦しい「戦争の時代」が終わった。もう戦争で死ぬ心配もなくなったし、もう強権で抑圧的な政治体制に怯える必要もなくなった。そのことにみんな心底「ほっとしていた」のです。

父親たちが酒を酌み交わしているときに、何かのはずみで戦争の話になったときに、「でも、敗けてよかったじゃないか」という言葉が口にされるのを僕は何度か聞いた覚えがあります。それは比較的穏やかな口調で語られ、そのフレーズが出ると、そこで戦争の話は終わりました。

小津安二郎の「秋刀魚の味」のことは本書の初めの方にも出てきますが、「敗けてよかったじゃないか」というのは戦後のある時期までは、戦中派の人たちにとってはずしんと腹にこたえるような説得力のあるフレーズだったのです。「敗けてよかった」というのは、戦争で死ぬ恐怖と、強権的な政府に弾圧される恐怖の二つの恐怖から解放されたということです。それが日本の若いインテリたちの偽らざる実感だった。

つまり、その時点では、日本の敗戦は決してトラウマ的な経験、屈辱的な経験としては受け止められていなかったということです。

敗けたおかげで自分は死なずに済んだ、自由で民主的な社会が実現した、言論の自由も集会結社の自由も、信教の自由も手に入れた。とにかくやっと手に入れたこの自由を思い切り享受しよう。

「戦勝国に恵んでもらった自由なんかうれしがるな。押し付けられた憲法なんかありがたがるな」というような話をしている人はその時代の日本にはいませんでした。いたのかも知れないけれど、ほとんど声にならなかった。今僕が「　」で括ったようなことを言い出したのは1960年代半ばの江藤淳ですが、江藤は敗戦のとき12歳でした。

敗戦直後の日本というと、必ず「リンゴの唄」が流れている焼け跡の闇市の映像が使われます。その画面の中の人々の「明るい顔」に僕たちは驚かされます。そこから知れるのは、敗戦がうれしいくらいに戦争がつらかったということです。

その明るい気分は僕の記憶にも残っています。敗戦からしばらくはそうでした。楽観的で向日的な雰囲気が世の中にはありました。少なくとも、1960年代末までは「リンゴの唄」的な明るさの残り香は日本社会のどこかに漂っていました。1970年代くらいからそういう穏やかな気分が消えて、社会が殺伐としてくる。でも、高度成長期からバブル経済にかけての時期ですから、みんな顔つきは殺伐としているけれど、金だけは潤沢にあった。金さえあれば何でも買えるという奇妙な多幸感の中で敗戦のことなんか、誰も考えなくなった。そして、1990年代にバブルが崩壊したあと、ふと気づいたら日本が「暗く」なっていた。それは直接的に「金がなくなった」からではないと思います。だって、バブル崩壊からさらに20年間、日本は世界第2位の経済大国であり続けたんですから（中国にGDPで抜かれたのは2010年のことです）。お金はあったんです。でも、社会はどんよりと暗くなった。

僕はその頃から「敗けてよかったじゃないか」という気分が失せて、「日本がこんなふうになったのは、すべて戦争に敗けたせいだ」という恨みがましい気分が社会全体に瀰漫したせいではないかという気がします。そんなこと僕の他に言う人はいませんけれど、さっきの「中央年齢リスト」を見て、ふとそう思ったのです。

「自虐史観」という言葉が出てきた頃に日本が「どよん」と暗くなったような気がします。もちろん「自虐史観」が社会を暗くしたわけではありません。逆です。彼らは日本社会の根っこの部分にある種の致命的な「弱さ」を感じ取って、その原因が「敗けてよかったじゃないか」というなげやりな言葉で敗戦経験を総括したことにあると感じた。そして「そういう考え方は自虐的だ」と言い出したのです。

歴史修正主義者の中に戦争経験者はいません。これはドイツでもフランスでも同じです。子どものときに敗戦を迎えた人はいますけれど、徴兵されて戦場に立った、空襲の中を逃げ惑ったという経験をもつ人はいません。実際に戦争で死ぬ覚悟をしていた人たちは、戦争が終わって、自分たちを戦場に送り出すシステムがなくなったことに安堵した。たしかに、祖国の敗北は悲しいことだが、それより自分自身や自分の愛している人たちがもう死なずに済むことの方がうれしかった。だから、戦争体験者にとって敗戦は屈辱でもトラウマ的経験でもなかった。

ところが、敗戦をリアルタイムで経験していないその後の世代には、敗戦を端的に「よいこと」として肯定するような個人的根拠がありません。敗戦の玉音放送を聴いて、ぼんやりと青空を見て「もう死なずに済んだ」と深い嘆息をついたような経験がありません。この「敗戦の報を安堵感のうちに経験した」かどうか、その経験の存否が、実は大きな世代的断絶を敗戦国民にもたらしているということはないのでしょうか？

僕たち戦後世代にとって敗戦は「経験の欠如」という経験です。

今の自分たちの社会の根本的なかたちを決定した歴史的大事件でありながら、敗戦のときに何があったのか。ＧＨＱは敗戦国日本をどう変えようとしたのか、そのためにどのような工作があり、密約があったのかについて、僕たちは「公式の歴史」というものを共有していない。戦中派の大人たちは、そのことについてはかたく口を噤んでいた。

どうして、どんなふうに敗けたのか、どうして敗戦国日本は「こんな国」になったのかについて、納得のゆく説明を聞かされないままに、僕たちは今も「戦勝国」アメリカの属国身分に甘んじ、日米地位協定という「不平等条約」を呑まされ、国土を外国軍が我が物顔に歩き回るのを指を咥えて見ていなければならない。中国や韓国や北朝鮮はことあるごとに日本が戦前戦中に彼らの土地でどれほど非道なことをしたのか、それについて反省と賠償を求める。戦争を始めたのも、戦争に敗けたのも、僕たちじゃないのに、敗戦国民としての道義的責任と政治的責任だけは「時効なし」で僕たちに負わされる。

この敗戦国民であることのもたらすフラストレーションを、敗戦を成人で経験した世代は知らなかった。でも、敗戦の解放感や安堵を経験していない世代には、このフラストレーションは恐るべき毒性を持っていた。

同一経験の世代による受け止め方の違いということを、僕たちは過小評価していたのではないか。そんな気がします。

戦中派には実際に自分たちが戦争中に占領地で「非道なことをした」という実感がありました。僕の父は中国との国交回復のあと、日中友好協会に入会して、たくさんの中国人留学生を家に迎え、保証人になり、金を貸しましたが、その理由を母親に問われたとき、「われわれは中国人には返しきれないほどの借りがあるのだ」と言っていました。

「あなたがたにはほんとうに申し訳ないことをした。償わせて欲しい」と中国人に向かって告げることは父にとっては苦痛ではなかった。むしろ贖罪（しょくざい）の機会を得たことをありがたく思っていたように僕には見えました。

でも、僕らは違います。侵略して、非道なことをした記憶もない。戦争が終わってほんとうによかったという実感もない。にもかかわらず敗戦国民としての戦争責任だけはエンドレスで追ってくる。

敗戦について、僕たちの世代が取り得るスタンスは二つしかありません。「戦争にかかわるすべての責任をわれわれは引き受け続けます」と戦中派にならって首を垂れ続けること。アメリカにも中国にも韓国にも台湾にもフィリピンにもインドネシアにもベトナムにもオランダにもイギリスにもオーストラリアにも、行く先々で謝り続けることです。こちらが「政治的に正しい」作法です。

そして、もう一つは「知るかよ、そんなこと」と居直ること。「あれはよい戦争だった」とか「あの戦争についてアジア民衆は日本に感謝している」とか「あの戦争に日本は実は勝っていたのだ」というようなでたらめを言い募って、戦争責任をまるごと放棄すること。こちらは「政治的に正しくない」作法です。

　そのどちらかを選ばなければならない。

　でも、そんな選択肢は敗戦をリアルタイムで経験した世代には突きつけられていなかった。さくっと「敗けてよかったじゃないか」で済んだ。これは彼らの後から来た世代にとってだけ切実な問いなのです。

　加藤典洋・高橋哲哉の間の『敗戦後論』をめぐる論争があったのは、１９９５年です。メディアを賑わせて多くの人が賛否の立場で発言した論争でした（僕の『ためらいの倫理学』という物書きデビュー作は『敗戦後論』の書評を核にして編まれたものでした）。そのとき、論争に熱狂していたせいで、「どうして今になって敗戦が問題になるのだ？」という問いだけが誰によっても立てられなかった。

　この論争のもう一つの歴史的意味は、敗戦をどう受け止めるかについての国民的合意が、それまでは無言のうちに日本国民に共有されていたけれど、それが１９９５年頃に失われたということではないかと僕は思います。

　１９９５年頃に、僕たち戦後世代は、敗戦に向き合うときに「政治的に正しい」作法か「政治的に正しくない」作法か、どちらかを選ばなければならないというきわめて定型的、ストレスフルな選択を迫られるようになった。加藤典洋はそれに対して「第三の道」はないのかという提案をした。「第三の道」を見つけないと、日本人がもう一度「明るく」なることはできないのではないか、そう考えたように僕には思われます。「政治的に正しい道」も「政治的に正しくない道」も、どちらも日本人を深く疲弊させ、日本人の思考を停止させ、遅速の差はあれ、いずれ国力を蝕んでゆく結果しかもたらさないように思えるからです。

でも、加藤の努力にもかかわらず、敗戦経験・戦後経験についての国民的合意は今にいたるまで達成されていません（それを独力で果たそうとした加藤典洋は先日志半ばで亡くなりました）。

僕はこれと同じようなことがすべての旧枢軸国で起きたのではないか……という気がしたのです。

どの敗戦国でも、ある時期までは「負けてよかった」という実感が支配的であったので、人々は貧しいけれど明るく、日々はつらいけれど明日に希望があった。だから、子どもが生まれた。でも、ある時期から「つらいけれど、倫理的な責務に耐えるべきだ」派と「うるせえな。倫理なんて知らねえよ。俺は絶対謝らないからな」派に国民が二分された。日本における左翼リベラルと右派ネトウヨの分断はまさにその通りのものですが、ドイツでも、イタリアでも、ほとんど同じような国民分断が起きている。どちらの道を行くにせよ、「笑顔がなくなる」ことだけは一緒です。

「リンゴの唄」と闇市の人たちの笑顔は「負けた代わりに手に入れたもの」がもたらしたものです。でも、僕たち敗戦から数十年経った敗戦国民には「負けた代わりに手に入れたもの」がありません。「負けたせいでさらにこれからも失い続けていくもの」だけしかない。

その虚無感が敗戦から一定期間が経ったあとの敗戦国民の「暗さ」を作り出している。そのせいで敗戦国民は根拠のはっきりした自己肯定感をもつことができない。自分の国に対して、その「ありのまま」に対して物静かな敬意や、控えめな誇りをもつことができない。何か細工を加えて、装飾して、別のものに仮装してみないと「自分の国」を取り扱うことができない。それがたぶん敗戦国民が敗戦から一定時間経ったあとに罹患する病なのではないかと思います。

国民が構造的に「自己肯定感の欠如」に苦しんでいる以上、子どもが生まれるはずがない。それが中央年齢の病的な上昇として結果しているのではないか……というようなことを僕は先ほどの中央年齢リストを見ながら考えたのでした。

だからどうした、だから、どうすればいいのか、というような話では別にありません。何となく、そう思った、というだけのことです。

戦争というのは、それが終わってから何十年も、場合によっては何百年も、それにかかわった人々とその子孫たちにとってある種のトラウマとなり続けるという「言われてみれば、そうかも知れない」というような話です。

どうして時事的なことを話すと「暗く」なるのかの理由について個人的な仮説を立ててみました。仮説を立てたからと言って、ただちに気分が明るくなるというものではありませんが、それでも「暗さの原因」がわかると、「じゃあ、次に打つ手を考えてみようか」という気分に少しはなるんじゃないでしょうか。

はい、長い話にお付き合いくださって、ありがとうございました。

最後になりましたが、出自さまざまなテクストを選択、配列して、リーダブルな書物に仕上げてくださいました毎日新聞出版の峯晴子さんにお礼申し上げます。ありがとうございました。

内田樹

２０１９年６月

文庫版あとがき　リーダビリティとは何か

みなさん、こんにちは。内田樹です。最後までお読みくださって、ありがとうございます。

本書は２０１９年に出た『生きづらさについて考える』の文庫化です。一つ一つの記事には初出の日付が書かれていませんが、２０１９年よりだいぶ前に書かれたものも含まれていますので、今読むとけっこうネタが「古い」と感じられたと思います。

でも、それは時事的なトピックを扱うテクストの宿命なんです。時事的なエッセイは賞味期限があまり長くありません。どうしても速報性とアクチュアリティ（現実性）を優先的に配慮しますから、しばらく経つと「何でこんな話を取り上げて熱く論じていたのか」自分でもわからなくなるようなことがあります。

それでも、不思議なもので「何の話だかもう忘れた」ようなトピックを扱っている文章でも、それなりに面白く読めるものと、もうあまり面白くないものの違いがあります。いったい、この差はどうして生じるのか？　どういう文章が時間を経過したあとも「リーダブル」であるのか？　文章のリーダビリティをかたちづくっているのは何か？

これは物書きとしての僕の久しい課題でありました。もちろん実利的な理由もあります。週刊誌に寄稿した時事的な文章が「読み捨て」にされずに、こうして単行本に再録してもらえれば新しい読者を得ることができるわけですから。今回自分の本を読み返して、ちょっとわかったことがありますので、「あとがき」に代えて、それについてご報告させて頂きます。「リーダビリティとは何か？」です。

「文章の寿命を長くする」にはいくつかやり方があると思います。僕が経験的に得た答えの一つは、「そこで扱われているトピックとあまり関係のなさそうな話が出てくるテクスト」は、そうでないテクスト（「関連する話題だけで構成されたテクスト」）よりもリーダビリティが高いということです。

わかりにくい言い方ですみません。これから説明します。

アガサ・クリスティの造形したミス・マープルという名探偵のことはご存じですか？ミス・マープルはヴィクトリア朝生まれの老嬢で、ロンドン郊外の小さな村に住んでいます。そして、甥の作家が持ち込んでくる解決不能の難事件を次々と解決します。彼女の推理パターンは独特なものです。事件の話を聞いているうちに「そういえば、うちの村でも昔それに似た出来事があったわ……」と過去を回想しているうちに、事件の真相を明らかにしてしまうのです。彼女は村から出ません。現場検証もしないし、聴き取り調査もしない。彼女の推理力の源泉は、「昔この村であったこと」についての膨大な記憶のアーカイブだけなんです。

このミス・マープル的な探偵術は、実は誰にでも可能なのではないかと僕は思います。「アーカイブ」は僕たち一人一人の個人的記憶でいい。子どもの頃に耳にした誰かの一言とか、テレビの一場面とか、ラジオから流れてきた歌詞の一行とか、マンガの一コマとか。そういうものが僕たちの巨大な記憶のアーカイブをかたちづくっています。何かのはずみで、その記憶のアーカイブの中から「気泡」のようなものが浮き上がってきて、今論じている当の論件と結びつく。そういうときに僕たちは、「なんだ。

あれって、これじゃん！」と膝を打つ。そういうことは実際に皆さんにもよくあると思います。

数学者のアンリ・ポアンカレによると、数学的創造というのは、それまで誰も思いつかなかった数学的素材の組み合わせをふと思いつくという仕方で成就するのだそうです。その場合の「これ」と「あれ」はいずれも「長い間知られてはいたが、たがいに無関係であると考えられていた」事実です。その二つの事実の間にある「思ってもみなかった共通点」にふと気づいた人が創造者になる。この「ふと気づく」というところが肝要なんです。頭で考えたことではない。作為的に結びつけることはできない。目の前にある「これ」と、それまで、それとの関連では思量されたことのない「あれ」が図らずも結びつく。

ミス・マープルは甥が持ち込んでくるいくつもの迷宮入り事件リストと、穏やかな村でかつて起きた出来事の記憶という「互いに無関係な二つの事実群」の両方に片足ずつ置いています。それがあまりに縁遠いものだからこそ、「これって、あれ？」と気づいたときに一種の知的衝撃が走る。この知的衝撃が僕たちが囚われている思考の「檻」に一撃を与え、その一撃が生み出す隙間から外界の涼風が吹き込んでくる。僕はこの「外界の涼風が吹き込んでくる感じ」というのが、実はテクストのリーダビリティをかたちづくるのではないかと思っているのです。

と説明してもあまりわかりやすくならないですね。

という書き方も実はそうなんです。あることを説明していて、それから「今の説明はわかりにくかったですね」というふうに自己評点をつけるというのも、これもある言説のレベルから別のレベルへの切り替えという点では「片足を別のところに移す」ことなんです。「いまの話わかりにくいですよね」と一言書き添えると、読む方は一息つけますよね。なんだ、書いている本人も「わかりにくい話を書いている」ということは自覚してるんだ。だったら、もうちょっとこいつの話に付き合ってやるか……という展開になる（希望的観測）。

リーダビリティというのは、二つの足場に片足ずつ置くような書き方によってもたらされる。僕にはそんなふうに思われます。今しているのとまるで無縁に思われる話を「ふと思い出す」のでもいいし、自分の言葉づかいそのものに対する自己批評（「いや、今のはちょっと言い過ぎました」とか「こんな書き方したんじゃわかりませんよね」とか）でもいい。要は「片足が別のところにある」ということです。

よく文章の書き方として「起承転結」ということを言います。「転」というのはふつうは「一回横道にそれる」と解釈されていると思います。でも、それとはちょっと違う気がする。「横道にそれる」という平面移動ではなくて、「少し上の視点から書かれている文章全体を俯瞰する」という垂直方向への移動のことを「転」と呼ぶのではないか。それができると「ツイストが効いている」とか「話頭は転々奇を究め」とかいう評語が与えられる。なんだかそんな気がします。

みなさんはこの本を読み終えて、「割と面白かった文章」と「あまり面白くなかった文章」が混在していると感じたと思いますが、たぶんその差は、「転」があるかどうかで決まったのだと思います。「転」がなくて、「起承結」だけで終わる文章はつまらない。「転」が遠くまで、高くまで、深くまで「転がった」文章はリーダビリティがその分だけ高い。

どうなんでしょう。暇な時にもう一度読み返して吟味してみてください。
最後になりましたが、単行本に引き続き文庫化をすすめてくださった毎日新聞出版の峯晴子さんのご尽力に感謝します。いつもありがとうございます。

内田樹

2022年11月

出典一覧

転載にあたっては、翻案に至らない軽微な改変（本質的な内容を変えない範囲での部分改変と再構成〈文章の加筆修正、タイトルや小見出しの変更、文字表記の統一など〉）を行いました。

第1章　矛盾に目をつぶる日本人

11　一億人の戦後史「日本初の総合週刊誌」だから書ける　終戦70年特別企画
特別寄稿　私たちは歴史からほとんど何も学ばない
（「サンデー毎日」毎日新聞出版　２０１５年3月15日号）

17　小津安二郎と兵隊
（『小津安二郎 大全』松浦莞二・宮本明子編著 朝日新聞出版　２０１９年）

21　「知日」明治維新特集のアンケートへの回答

（ブログ「内田樹の研究室」２０１８年８月11日）

37　知のランドスケープを歩く　知とは何か
（「武蔵野樹林」角川文化振興財団ＫＡＤＯＫＡＷＡ２０１８年秋号）

51　「脱管理」進む　韓国教育（「直言」山形新聞　２０１８年３月13日）

55　僕が家庭科が大事だと思ったわけ
（日本家庭科教育学会　第61回大会報告〝未来をつくる力〟と家庭科　２０１８年11月）

58　空虚感を抱えたイエスマン
（「大学有志の会ブロック連絡会ニュースNo.２」安全保障関連法に反対する学者の会　２０１９年１月15日）

62　物書きは情理を尽くして（「直言」山形新聞　２０１８年10月18日）

66　御用メディアの大罪　リスクを取る覚悟――書き手・編集者に求められるもの
（「月刊日本」Ｋ＆Ｋプレス　２０１８年11月号）

80　特集「歳月」　歳月について（「すばる」集英社　２０１８年10月号）

第2章　気が滅入る行政

148　「日本国の正体」東京五輪のために「サマータイム導入」の愚（「サンデー毎日」毎日新聞出版　２０１８年９月９日号）

第３章　ウチダ式教育再生論

163　「教育」まで「株式会社化」したこの国の悲劇　科学研究の壊滅的な劣化が止まらない！（「サンデー毎日」毎日新聞出版　２０１８年7月8日号）

173　止まらぬ日本の知的劣化（「直言」山形新聞　２０１８年9月6日）

177　「イエスマン」をつくり出した就活の罪は大きい　思想家・内田樹の助言（ＡＥＲＡムック「大学ランキング２０１９」朝日新聞出版　２０１８年）

181　危機的状況の学校教育の劣化（「内田樹の賢者に備えあり」エルネオス　２０１８年10月号）

185　街場の東大論（「サンデー毎日」毎日新聞出版　２０１１年3月20日号）

198　きみの「生きづらさ」はどこから来るのか、一緒に考えてみよう（精華人文文庫『きみの生きづらさと向き合うために』（京都精華大学広報グループ編　京都精華大学人文学部　２０１８年）

第5章 人生100年時代を生きる

本作品は２０１９年８月、小社より単行本として刊行されました。

カバーデザイン……山影麻奈
編集協力…………柴崎あづさ
校正………………加藤初音
DTP……センターメディア

毎日文庫

生きづらさについて考える

印刷 2023年1月20日

発行 2023年2月1日

著者 内田樹

発行人 小島明日奈

発行所 毎日新聞出版
東京都千代田区九段南1-6-17 千代田会館5階
〒102-0074
営業本部：03(6265)6941
図書第二編集部：03(6265)6746

ブックデザイン 鈴木成一デザイン室

印刷・製本 中央精版印刷

 ISBN978-4-620-21052-0
JASRAC 出 2209005-201

内田樹（うちだ・たつる）

1950年東京都生まれ。神戸女学院大学名誉教授、芸術文化観光専門職大学客員教授、昭和大学理事。東京大学文学部仏文科卒業、東京都立大学大学院人文科学研究科博士課程中退。専門はフランス現代思想、武道論、教育論など。神戸で哲学と武道研究のための私塾凱風館を主宰。合気道七段。『私家版・ユダヤ文化論』で第6回小林秀雄賞、『日本辺境論』で第3回新書大賞、執筆活動全般について第3回伊丹十三賞を受賞。著書に『ためらいの倫理学　戦争・性・物語』『先生はえらい』『寝ながら学べる構造主義』『下流志向 学ばない子どもたち 働かない若者たち』『レヴィナスと愛の現象学』『死と身体』『街場の現代思想』『困難な成熟』『直感はわりと正しい 内田樹の大市民講座』『武道的思考』『そのうちなんとかなるだろう』『サル化する世界』『日本習合論』『コモンの再生』『コロナ後の世界』『レヴィナスの時間論 「時間と他者」を読む』、池上六朗氏との共著『身体の言い分』など多数。